Machaon

Евгений Гришковец

БОЛЬ

*Повесть
и два рассказа*

Москва
«Махаон»
2014

УДК 821.161.1-3
ББК 84(2Рос=Рус)—44
Г85

Оформление
Серж Савостьянов

Гришковец Е.

Г85   Боль. Повесть и рассказы: — М.: Махаон, Азбука-Аттикус, 2014. — 304 с.

ISBN 978-5-389-07576-4

Книга «Боль» состоит из трёх отдельных произведений: из повести «Непойманный» и двух рассказов. Или, я бы уточнил, двух новелл. Эти три отдельных произведения не имеют между собой непосредственной связи. Но тем не менее я ощущаю сборник «Боль» как цельное произведение, как художественный цикл, в котором боль, как состояние душевное, так и физическое, становится некой призмой, через которую человек смотрит на мир, на жизнь особым образом — так, как он прежде не смотрел. Боль как способ восприятия мира — не ужасный, не страшный — просто как один из способов восприятия мира.

Над сборником я работал долго. Читатель давно не видел моей новой прозы. Книга «Боль» — это результат кропотливой работы и, определённо, шаг в том художественном направлении, в которое я ещё не шагал.

УДК 821.161.1-3
ББК 84(2Рос=Рус)—44

ISBN 978-5-389-07576-4

Непойманный

Повесть

— Да не считаю я твои деньги, успокойся! Если бы я их считал, то уже давно либо свихнулся, либо убил тебя и ограбил. Боря, друг мой, я же совсем про другое... Хотя, чего я распинаюсь опять?! Ты же услышишь только то, что хочешь, — сказал Вадим и махнул рукой.

Он махнул рукой в сторону и почувствовал, что его слегка качнуло туда же. «Э-э-э, брат! Да ты опять напился. А ведь не собирался. Совсем наоборот...» — подумал он и кисло усмехнулся сам себе. Вадим понял в этот момент, что поговорить о том, ради чего он добивался встречи со своим стариннейшим другом Борисом, ради чего отложил другие дела, ехал далеко за город и ради чего всё-таки выпил коньяку, хотя категорически этого делать не хотел, уже не получится. Совсем не получится.

Вадим ехал к Боре на такси и заклинал себя ни в коем случае не пить. Не пить, какие бы Боря ни нашёл причины, чем бы ни соблазнял, на какие бы чувствительные и болевые точки ни давил. Нужно было обязательно поговорить, добиться результата и уехать. Или, в крайнем случае, выпить после разговора, когда всё будет уже решено. Вадим настраивал себя на это, готовясь к Бориному натиску.

Боре трудно было противостоять, когда он хотел не только выпить, но и непременно выпить не один. Боря был мастер самых разных уловок и прихватов, после которых не выпить, казалось, было невозможно, не нанеся Боре смертельной обиды. Вадим изучил все Борины уловки за долгие годы, но у того всегда находились новые.

А ещё Вадим прекрасно знал, что если он с Борей выпьет с глазу на глаз, то непременно и обязательно заспорит с ним на любую, неведомо каким образом и откуда подвернувшуюся тему, разнервничается, заведётся. А Боря в долгу не останется. И кончится такой разговор криком и бранью, посыланием друг друга в самые дальние пределы и клятвами друг другу, а потом клятвами самим себе больше никогда не встречаться, не разговаривать и закончить наконец эту сильно затянувшуюся с ранней молодости дружбу.

Сколько лет они дружили, столько и ругались, если выпивали без свидетелей и компании. А тут Вадиму необходимо было поговорить без свидетелей. Поговорить правильно и деликатно. Деликатно, потому что поговорить нужно было о деньгах. И ещё потому, что у Бори деньги были, и много. Очень много! Давно. А у Вадима они то были, то не были. А в этот раз у него их не было вовсе. Их отчаянно, абсолютно, ужасно не было. И они так же отчаянно и ужасно были необходимы.

Вадим приехал к Боре, чтобы попросить немаленькую сумму, которая ему нужна была позарез. Деликатность же ситуации усугублялась тем, что Вадим уже однажды брал у Бори деньги в долг и отдал с большим трудом. К тому же с годами и с невероятным ростом цифр, которыми определялось Борино состояние, Боря всё более и более чувствительно реагировал на любые просьбы и даже разговоры, связанные с деньгами. Вадим надеялся вообще не обращаться по этому вопросу к Боре или обратиться к нему в самую последнюю очередь. Вот она и настала, эта очередь. Вадим вынужден был поехать к Боре, но разговор не получился.

Точнее сказать, разговор получился не таким, в котором или в результате которого можно было попросить денег в долг.

Вадим сразу попал на чаепитие с коньяком на веранде Бориного большого дома. Это насторожило и огорчило Вадима. Он внятно просил Борю о коротком разговоре с глазу на глаз. А тут, приехав, он увидел уже слегка выпившего Борю, чай, коньяк и Борину жену за столом. А он при Ольге ни о чём не готов был просить Борю. Он ни при ком не смог бы просить Борю, тем более просить денег.

К Ольге Вадим всегда относился прохладно: и в молодости, и теперь, когда она превратилась в сорокапятилетнюю, давно привыкшую к крупным бриллиантам женщину, последние годы живущую какой-то параллельной своему мужу жизнью. Вадим помнил её молодой, весёлой, времён студенчества. Помнил, какой она была яркой и недоступной, помнил, как Боря был ею сильно увлечён, а потом страшно в неё влюблён. Вадим отлично помнил, как она позволила Боре на ней жениться и как всеми способами пыталась затолкать его под каблук. У неё это вначале получалось. Получалось до тех пор, пока к Боре не пришли сначала деньги, а потом большие деньги. Вадим не мог забыть Ольгины барские замашки после того, как Боря заработал свою первую шестизначную сумму. Затем барские замашки сменились горькими обидами на мужа, скандалами и почти разводом. Оля пыталась любыми способами вернуть своё господство, в том числе и рождением сына Мити. Но это не помогло. Митя долго был аргументом, а порой и оружием в Олиных руках в её борьбе с мужем за прежний свой статус. Оля то отчаянно веселилась, демонстрировала свою независимость, пила неделями, доводила маленького своего сына чуть ли не до нервного истощения, то кидалась в столь же отчаянную заботу о нём и демонстративно рачительное ведение домашнего хозяйства. Когда у них появился большой дом, Оля даже выращивала цветы и занималась садом. Вадим знал Ольгу разной и помнил, как неожиданно, лет пять-шесть назад, она вдруг увлеклась йогой или чем-то подобным, занялась своей внешностью, зачастила в церковь и именно что затихла, отстранилась от воспитания и даже от внимания к почти взрослому своему ребёнку, отстранилась от мужа и его активной жизни и удалилась куда-то в собственные чертоги их большого дома. Там она зажила так, как Борю устраивало, то есть параллельно.

Ольга посидела с ними недолго, посидела непонятно для чего, выпила немного чая, который заварила себе отдельно в диковинном чайнике, и удалилась в дом. Но, как только Вадим собрался приступить к разговору, ради которого приехал, Боря предложил выпить коньяку и, не спрашивая, налил и себе, и Вадиму.

Вадим, чтобы не тратить много времени, выпил, но тут к Боре приехали двое. Приехали явно по делу, и было видно, что им было назначено. Приехавшие с удивлением и недовольством посмотрели на Вадима, потому что наверняка тоже хотели что-то важное обсудить с Борей. Но присутствие постороннего не позволило им начать деловой разговор.

Боря представил им Вадима как лучшего друга юности, а их представил ему как своих коллег из Москвы. Коллеги сели за стол, им были налиты и чай, и коньяк. Пошёл бессмысленный и вялый разговор. Коллеги посматривали на Вадима вежливо, но общаться с ним не стали совсем. Так длилось довольно долго, потом оба приехавших стали посматривать на часы, и один не смог справиться с зевотой. Вадим ощущал себя неуместным. Он ёрзал на стуле и чувствовал, как уходит время и возможность для важного разговора и просьбы. Вадим чувствовал себя в этой ситуации унизительно. Он понял, что Боря, скорее всего, забыл о том, что назначил ему встречу, или, когда договаривался с ним, забыл, что назначил встречу другим. Вадима всегда оскорбляли Борины барские замашки и невнимательное отношение как к нему, так и к остальным.

Из-за всего этого Вадим взял да и выпил коньяку. Хотя делать этого, когда ехал к Боре, не собирался. Коллеги же пить коньяк не стали, посидели, посверлили Вадима глазами, поговорили ни о чём с Борей и сообщили, что откланиваются. Боря условился с ними о встрече на завтра, все попрощались, Вадиму достались вялые рукопожатия, и они снова остались с Борей с глазу на глаз.

Но только это случилось, как неожиданно для Вадима из глубин дома появился и подошёл к столу Митя, Борин сын.

Вадим почти год не видел Митю. Он удивился и обрадовался ему. Митя тоже обрадовался. Они даже крепко обнялись и расцеловались. Митя год назад поступил в университет в Лондоне и, видимо, приехал на летние каникулы. Он приезжал с учёбы и зимой, но Вадим его тогда не видел. Не повстречал.

Вадим знал Митю с рождения. Вадим был среди тех весёлых и пьяных Бориных друзей, которые вместе с Борей забирали новорождённого Митю из роддома. Вадим чуть ли не первым взял Митю на руки, когда его вынесли и сначала отдали отцу: Вадим был вторым. Он был серьёзно уязвлён, когда Ольга и Боря предложили стать для Мити крёстным отцом не ему. Он видел и знал Митю во всех возрастах и любил его.

Своего сына Вадим знал мало и практически не имел с ним контакта. Вадим очень рано и отчаянно глупо женился. Брак продержался недолго, совсем недолго. Вскоре после свадьбы родился Костя. Но его рождение не произвело должного впечатления на Вадима, он не захотел да и не умел изменить образ жизни из-за рождения ребёнка. Вот брак и распался. В самом браке и в его быстром крушении, в этом Вадим был убеждён, виноват был только рок-н-ролл.

Вадим играл на бас-гитаре в школьной, а потом студенческой, а потом почти профессиональной рок-группе. Он играл на басе и писал все тексты для той самой группы. Некоторые его стихи по нескольку месяцев, а то и дольше знала в те незапамятные годы практически вся страна. А точнее, знали люди во всей стране, которые любили рок-н-ролл, блюз и весьма запутанные, полные символов, с едва уловимым смыслом, а то и бессмысленные тексты.

Вадим не мог и не хотел расставаться с музыкальным образом жизни, с редкими, но бурными и насыщенными разными событиями поездками на фестивали и концерты. Он и не думал отказываться от дивного звона в голове, от дыма марихуаны, и от разноградусного и разноцветного алкоголя без ограничений. Брак его рухнул и исчез незаметно и безболезненно для него. А когда Вадим слегка опомнился, у его сына Кости был уже другой отец, другая фамилия, да ещё и в другом городе.

Рок, блюз и широкая известность в узких кругах закончились для Вадима на сцене ресторана. Однако для того, чтобы играть в ресторане, нужны были серьёзные навыки. Нужно было действительно хорошо играть на инструменте и совсем не песни собственного сочинения. Нужно было научиться исполнять те песни, которые любят посетители ресторана. А у Вадима это получалось с трудом и не очень. В итоге группа, в которой играл Вадим, реши-

ла сэкономить на бас-гитаре, а главное — на бас-ги-
таристе, заменив его электроникой. Так Вадим перестал выступать, перестал писать стихи и стал сначала
директором группы, в которой играл, а потом и директором ресторана, в котором эта группа, в основном,
работала. Потом он стал владельцем того ресторана. Женился второй раз. Потом купил ещё ресторан,
и ещё. Но это потом.

А во времена рока и блюза Вадим был звездой
в городе. Боря гордился дружбой с ним. Да что там
гордился! Боря пользовался этой дружбой. Вадим
был вхож и желаем в любых городских заведениях
и обществах. Он мог познакомиться и познакомить
с любыми барышнями и почти со всеми полезными
людьми. Боря всеми этими возможностями воспользовался в полной мере. А в какой-то момент — раз —
и сам стал одним из самых полезных людей города.

Проще говоря, Вадим знал Борю давно, а Митю
знал всю Митину жизнь. И всё это время Вадиму
казалось, что Боря воспитывает сына неправильно.
Вадим видел то припадки заботы и любви с потака-
нием всему, чему можно и нельзя потакать... То эти
припадки нежности сменялись строгостью и контролем. Вадим даже удивлялся, что в периоды строгости

Боря в своих сумасшедших буднях находил время заниматься с сыном школьными уроками и решать с ним задачи по алгебре. Он то не отпускал от себя Митю и таскал его и на охоту, и на скучные для мальчишки курорты, то будто забывал о нём и отправлял одного на целое лето в какую-нибудь заграничную летнюю школу для изучения иностранных языков. Когда Мите исполнилось четырнадцать лет от роду, а Боря уже был одним из самых богатых людей в городе, он взял да и отослал сына на целый год в частную школу в Швейцарии.

Зачем Боря это сделал, Вадим не очень понял. Боря же говорил, что там сыну безопасно, рассуждал о чистом швейцарском воздухе, о чудесах тамошнего образования, о том, что хочет, чтобы сын пошёл дальше отца и стал настоящим европейцем.

Митя к своим четырнадцати был уже здорово издёрган и отцовскими перепадами в отношении к нему, и материнскими демаршами, и постоянной грызнёй или холодной войной, царившей в доме между родителями. Митя рос умным, чувствительным и довольно нервным парнем. Он часто проявлял если не характер, то упрямство, пытаясь противостоять и продемонстрировать упрямство даже отцу. Это всегда заканчивалось плохо. Боре нельзя было такое демонстрировать и тем более противостоять.

Митя сложный получился парень к своим четырнадцати. Но Вадим любил его. Митя тянулся к музыке сызмальства. Он хотел играть на чём-нибудь. Вадим убедил отдать его в музыкальную школу. Митя учился сначала с удовольствием, потом, когда стало труднее, уже не с таким удовольствием. Боря не был в восторге от музыкальных занятий сына и в конце концов отдал Митю на плавание. Так что музыка закончилась для Мити раз и навсегда по воле отца, а спорт не пошёл. И к четырнадцати годам всякие внятные увлечения для Мити исчезли.

Когда Митя бывал в гостях у Вадима, а такое случалось, он просил дать ему поиграть на бас-гитаре или на чём-нибудь другом. У Вадима тогда дома были разные инструменты. Митя хотел и гитару, и барабаны. Но Боря не покупал ему этих символов рок-н-ролла, а Вадиму жёстко запретил дарить сыну что-то подобное.

Митя был всегда нежен с дочерями Вадима, которые были сильно его младше. Вадим часто спорил с Борей по поводу Мити, ругался, но никак не мог хотя бы достучаться до Бориного отцовского понимания. Вадиму всегда казалось, что у него этого понимания больше и его понимание лучше, чем у Бори. Вадим был уверен, что своих двух дочерей он, хоть и не очень внимательно, но воспитывает хорошо, и если бы у него была возможность воспитывать сына, то у него и это бы получилось.

Из швейцарской школы Митя вернулся очень изменившимся. Он сильно вытянулся и стал угловатым. Из мальчика и ребёнка он превратился в юношу. Юношу весьма отстранённого. Боря сильно возмущался этому отстранению. Ещё он возмущался тем, что заплатил большие деньги, а сын за год научился только бегло говорить на плохом немецком языке, но читать на нём хоть сколько-нибудь серьёзные тексты не научился. При этом Митя не то чтобы разучился, а как-то расхотел писать, читать и глубоко думать на родном языке.

Боря решил сына обратно не отправлять, а, наоборот, вернуть его к уму и разуму на родной земле. Митя же за год привык к другой жизни и другому миру. Он совсем не хотел домашней нервотрёпки. Он явно отвык от разговоров на повышенных тонах и тем более от крика. Отвык от строгостей,

17

да и от роскоши отвык. Он хотел обратно, но его не пустили.

Вадим знал от Бори, что Мите трудно далось возвращение в прежнюю школу в родном городе. Отправляя сына учиться в Швейцарию, Боря хвалил зарубежное образование, точно так же год спустя он его ругал. Возмущался, что там от детей ничего не требуют, домашних заданий не задают, а только развлекают детей да цацкаются с ними.

Спустя же несколько лет, когда Мите исполнилось восемнадцать, Боря взял и отправил единственного сына снова за границу, в Лондон, в университет. Хотел этого Митя, который прижился на Родине и очень неплохо кончил школу, или не хотел, было неясно, а Боре, видимо, не очень важно.

Однако Боря любил Митю. Сильно. Своих чувств он старался прилюдно не показывать, но Вадим знал эту любовь. Она проявлялась во многих ситуациях. А ещё Вадим не раз видел, как Боря смотрит на сына. Только Боря, очевидно, не знал, что с этой любовью делать.

Последний год Боря часто летал в Лондон проверить своего студента. Сначала он воодушевлённо рассказывал про старинное, сугубо английское

18

здание университета, про университетский дворик, коридоры, аудитории, библиотеку и про порядки, царящие в этом классическом учебном заведении. Он говорил про Митин университет с восторгом.

Но постепенно Боря стал меньше и меньше рассказывать об учёбе сына, потом говорил на эту тему только когда спрашивали, а вскоре перестал даже отвечать на вопросы про Лондон и университет. Стало видно, что тема Митиного студенчества Борю огорчает и раздражает.

Вадим не видел Митю почти год. За это время Митя сильно похудел. Это первое, что сразу бросилось в глаза. Митино лицо осунулось и заострилось. Вадиму не понравилась эта худоба. В этой худобе было что-то нездоровое, измождённое.

Вадим помнил Митю до отъезда. Помнил отлично. Митя хорошо учился последний год школы, но чудил и доставлял много хлопот отцу. Пару раз он тайком ночью брал отцовскую машину и разъезжал на ней невесть с кем и невесть где. Всё это кончилось нехорошо, а могло кончиться ужасно. Боре удалось замять возникшие неприятности. Сам он наказал сына неизвестно как, но очень строго. Боря страдал тогда, а Митя не унимался. В тот же год, будучи школьником, он завёл роман с девицей много старше его. Впоследствии выяснилось, что девица вовсе даже замужем. Боре пришлось и эту некрасивую ситуацию как-то устаканивать. Митю не раз привозили домой пьяным, или Боре самому приходилось его пьяным же забирать из совсем неподходящих мест.

А Вадим давно владел любимым в городе всеми близкими ему по возрасту и духу людьми клубом. В этом клубе царили блюз и рок-н-ролл. И клуб этот был открыт всем, кто любит подобную музыку. Вадим много раз сигнализировал Боре, что Митя приходил в его клуб в подпитии и не с теми людьми, с которыми пристало общаться Бориному сыну. Несколько раз Вадим видел в глазах Мити совсем не алкоголь. Но Митя никогда не вёл себя агрессивно, вызывающе или по-хамски. Он никогда не выглядел даже сердитым. Он ни разу не позволил себе козырять именем отца. А этим именем в городе можно было сильно козырнуть.

Митя был издёрганный, запутавшийся, растерянный, в чём-то избалованный, а в чём-то — зажатый и забитый, но добрый и умный мальчик. До отъезда в Лондон у него было юношеское, часто румяное лицо. А тут, спустя меньше чем год, Вадим увидел вовсе не юный взгляд и совсем не юношеское выражение на похудевшем, а точнее, осунувшемся лице Мити.

Вадим не видел Митю давно и от неожиданной радости даже на время забыл о цели своей встречи с Борей. Митя тоже обрадовался, заулыбался, налил себе чаю, но очень быстро его заострившееся лицо приняло какое-то отстранённое выражение, а глаза хоть и не останавливались и совершали резкие движения, всё же ни на что конкретное не наводились. Этот взгляд и это выражение лица встревожили Вадима, и радость встречи тут же улетучилась.

Боря тоже как-то напрягся с появлением Мити. Он снова налил коньяку себе и Вадиму, ничего не сказав сыну. Вадим до этого пытался ограничивать Борю, прикрывал бокал рукой, а в этот раз он взял бокал, не отказываясь, не отнекиваясь и ни на что не ссылаясь. Он почувствовал, что что-то тяжёлое появилось за столом. То тяжёлое, что царит в Борином большом доме, и то, что из этого дома стараются не выпускать.

— Боря, дружище! Давай выпьем за нашего студиозуса! — словно ничего не ощутив и не заметив, сказал Вадим. — Пусть дрогнет и не устоит перед ним вся хвалёная английская...

Боря, не дослушав, быстро выдвинул вперёд руку с бокалом, громко стукнул им о бокал в руке Вадима, так же быстро поднёс его ко рту, опрокинул и, одним глотком отпив добрую половину, резко поставил на стол, как бы сказав, что продолжения тоста и темы Митиного студенчества он не желает категорически.

Вадим от неожиданности замер, и тост застрял у него в горле. Зависла секундная пауза. Но Митя вдруг с безучастной улыбкой поднял свою чашку с чаем, чокнулся с Вадимом и сделал глоток. Тогда и Вадим выдохнул воздух недосказанного тоста и выпил свой коньяк до дна. Благо в этот момент Боре кто-то позвонил, он беззвучно выругался, с недовольным видом ответил на звонок, встал из-за стола и отошёл подальше для разговора.

Чтобы разрядить вдруг сгустившуюся атмосферу, Вадим поболтал с Митей о том о сём. Митя отвечал, но равнодушно. Вадим поинтересовался, не ходит ли тот на концерты или на футбол в Лондоне. Митя ответил, что футболом так и не увлёкся, несмотря на то что отец футбол обожает, а Лондон футболом живёт. На какие-то концерты Митя ходил, но был не склонен об этом рассказывать. Вадим узнал, что Митя приехал на всё лето домой. На вопрос о планах на это время Митя только пожал плечами.

А Боря прохаживался поодаль и кого-то ругал в трубку. Пару раз он даже многосложно и громко выругался. Закончив, Боря постоял там, где говорил, а потом вернулся к столу.

— Чёрт бы их всех побрал, идиотов, — сказал он, подходя. — Хоть тысячу раз им всё разжуй и в рот положи, хоть сколько им объясняй... Всё равно проще самому всё сделать. И главное, никак на них не повлияешь, понимаешь?.. Хоть озолоти их, хоть совсем не плати — один чёрт! Ненавижу спесь и гонор идиотов, от которых требуется только выполнить то, что им сказано. Не больше и не меньше... Нет ведь, натворят такого!.. Говорю им русским языком: не понимаешь — спроси. У тебя что, язык отсохнет?! Спроси! Это же так просто! Нет! Не могут по-простому и как надо... Натворят такого!.. Потом поймут, что запутались, и ещё сильнее продолжают путать. — На этих словах Боря допил остатки своего коньяка. — Сынок, знаешь, — продолжил он, уменьшив громкость высказывания и наливая коньяк Вадиму и себе, — нам с Вадимом надо поговорить. Вы ещё успеете... Лето длинное.

— Конечно, — спокойно сказал Митя, вставая. — Дядя Вадим, Кате и Соне привет от меня, они на каникулах где?

— Пока здесь. Может быть, в начале августа съездим куда-то к морю. Хотя... Не знаю, не знаю, — сказал Вадим и встал, потому что остальные все стояли. — Катя в Питер хочет поехать с подругой, Соне, по-моему, всё равно.

— Я бы хотел их увидеть... Надо будет, если можно, к вам заскочить. А в Питер я бы тоже хотел, — сказал Митя и хорошо улыбнулся. — Я в Санкт-Петербурге никогда не был... Да и в Москве толком тоже.

— Митя! — строго сказал Боря.

— Понял, — отреагировал Митя и приподнял руки вверх, как бы сдаваясь, — ухожу! До свидания, дядя Вадя!

— Сильно не прощаемся, — только и сказал Вадим. Они обнялись с Митей, и тот ушёл в дом.

Боря проводил сына взглядом, отпил из бокала и сел. Было совсем тепло и безветренно. Вадим тоже сел, некоторое время молчали. Потом Боря тяжело и долго вздохнул и допил коньяк. Вадим, чувствуя всю непроговорённую сложность, зависшую в воздухе за столом, последовал Бориному примеру.

— Видал? — спросил Боря, сморщившись от выпитого, и указал рукой в сторону, куда ушёл Митя.

Вадим изобразил непонимание, пожал плечами и развёл руками.

— Приехал чужой. Совсем чужой, — хрипло проговорил Боря. — С ним и раньше такое бывало... А тут просто незнакомый человек приехал и занял Митину комнату. Заметил, как он похудел? Из него жизнь как будто откачали. С матерью вообще не разговаривает. Со мной... Попробовал бы только не разговаривать... Но так, не сам — я спрашиваю, он отвечает. Сам, первый — ни слова. Из комнаты не выходит. С кем-то только постоянно на связи висит, и всё. Даже не жрёт ни черта. Вадик, ему же двадцати нет! Ты вспомни, как мы в этом возрасте постоянно хотели есть. Всё время! Дома нас неделями не видели... А он!.. Я вообще ничего не понимаю! Вернулся — и ни с кем видеться не захотел. Вспомни, как его провожали, сколько пришло друзей! Я, может быть, и рад, что тех его друзей больше не вижу... Но совсем ни с кем не встретиться!.. Даже просто в город выйти не хочет... Худой!.. — На этих словах Боря отпил половину содержимого своего бокала. — Заметил? В глаза не смотрит. А у самого глаза бегают, — продолжил Боря чуть более хрипло. — Я уж чего только не подумал... Думал даже комнату и вещи его обыскать...

— Боря! Остановись! — прервал его Вадим. — Ты даже не говори такого! — сказал он твёрдо, но сам себе не поверил. — Парень просто давно не был дома. И всё! Оторвался от гнезда...

— Да?! А какого он тогда из этого гнезда даже носа не высовывает? А?! — Боря скрипнул зубами и протянул вперёд свой бокал: — Но пьём мы не за это.

Оба чокнулись и выпили.

— Ещё зимой приезжал — всё было нормально, — продолжил Боря. — Я его почти не видел. Где-то пропадал... С кем-то. А теперь... Так зачем пришёл?

— Кто?

— Ты зачем пришёл? Извини, Вадик! Видишь, у меня тут то одно, то другое... Лето началось, тоже мне! — Боря снова налил, посмотрел, сколько осталось в бутылке, и долил остатки. Получилось помногу. — Так о чём ты хотел со мной поговорить?

— Да я уже и не знаю, стоит ли... — замялся Вадим, быстро обдумывая, как и с чего начать свою просьбу и стоит ли вообще с ней обращаться в этот раз.

— Вадик, не ломайся давай! Названивал, названивал, приехал в кои веки... Давай-ка, не стесняйся, что стряслось?

— Борь, слушай! Может, не стоит сегодня... — опустив глаза на свои руки и бокал, сказал Вадим. — Мы уже выпили, а я хотел на сухую. Давай ещё выпьем, а завтра я тебе всё...

— Завтра не выйдет, — прервал его Боря. — Ты не слышал? Я с коллегами из Москвы завтра... Да что же это, чёрт возьми, такое происходит?! — вдруг резко поменяв тон и громко опустив ладонь на стол почти прорычал Боря. — Ты что, боишься меня о чём-то попросить? Ты боишься?! Меня?! И ты, как все? Все со мной говорить боятся. Вот будто кол проглотят и в штаны наложат — глазами хлопают и рыла воротят. Понимаешь, люди говорить со мной боятся! Монстра из меня делают... И ты туда же?! Меня сын родной боится! Жена как растение, как тень... ходит беззвучно. И ты туда же?! — Боря снова хлопнул ладонью по столу. — Мы же с тобой друзья сколько лет... Столько не живут!

— А вот это тост! — ловко ввернул Вадим. — Столько не живут. Это точно... Давай за нас! И уж кто-кто, а я буду последним, кто тебя боится. И другим прикажу не бояться! А вот опасаться — посоветую. — И Вадим поднял бокал. Боря покачал головой, едва улыбнулся и поднял свой.

— Ох и ловок ты, Вадя! Ох и ловок! — сказал Боря, и они выпили по доброму глотку. Боря скривился сильнее прежнего, и стало хорошо видно, что он пьян. Тоненькая струйка коньяка вытекла у него из угла рта. Он тут же утёр её ладонью: — Так чего хотел? Чего пёрся в такую даль ко мне?

Вадима передёрнуло от выпитого. Он поискал на столе, чем бы закусить, хотя до этого в закуске не нуждался, нашёл нарезанный лимон, ухватил один кругляшок, сунул в рот и с удовольствием сморщился.

— Да что мои дела? — жуя лимон и морщась, сказал он. — Я же не знал, что Митя вернулся. Знал бы, тогда совсем по-другому...

— Митя — не твоё дело! — сказал Боря совершенно стальным тоном.

Это был тот самый тон, на который Вадим всегда реагировал одинаково. Тон, до которого выпивший Боря непременно доходил в их разговорах с глазу на глаз. А опьяневший Вадим на него откликался, как на вызов к поединку. И этот Борин тон случался тогда, когда они оба ощущали себя ещё вполне трезвыми, здравомыслящими и рассудительными.

— Что-о-о?! — чувствуя, как белеет в глазах от обиды, протянул Вадим. — Митя — не моё дело? А чьё это тогда дело?

— Моё! Мой сын — моё дело. Это просто, — стараясь изображать спокойствие, сказал Боря. — Понимаешь? Просто!

— Да-а-а? А чего ж ты его хер знает куда отправил, с глаз долой? А теперь причитаешь. — Вадим скроил кислую физиономию и продолжил издевательски писклявым голосом: — Ой! Сынок вернулся домой чужим! Ой, он говорить со мной не хочет... Боится меня...

Вадим, как всегда, сорвался, и его понесло. Понесло сразу. С ним такое случалось только с Борей. Он часто ругал себя за эти срывы, но объяснял их сам себе тем, что не мог не ответить на вызов. Не мог потому, что Борино огромное состояние не давало Боре права вести себя и говорить оскорбительно. Вадим даже считал, что своими спорами на равных он отстаивает их старую дружбу, в которой количество денег и власти ничего не значат.

Но совсем редко, с похмелья, после ссор с Борей, Вадим мог откровенно сам с собой признать, что своими срывами он доказывал себе своё равноправие и мстил Боре за свою же трезвую робость перед ним и его богатством, мстил за желание быть приятным, угодливым, за своевременные поздравления с днём рождения Бори, Оли, Мити, поздравления с Новым годом и прочее... Мстил за Борины дорогие подарки ему, жене и дочерям — если тот не забывал, мстил за то, что сам любил и ждал эти подарки.

Их споры всегда получались долгими, с попытками примирения в процессе и новыми вспышками вслед. Ни тот ни другой не могли остановиться, пока их не разнимали или пока Вадим не хлопал Бориной дверью. Сам Боря на дверь обычно не указывал. Ну а если и указывал, то Вадим не спешил дверью воспользоваться — из гордости и противоречия.

В этот раз случилось, как обычно. Они быстро заискрили, повысили голоса до предела, потом спустились до ледяного шёпота, попрепирались, повскакивали несколько раз с мест, поразмахивали руками, почти разошлись... Но неведомо как на столе появилась новая бутылка коньяку, и разговор пошёл почти спокойный, но происходящий на минном поле.

— Я вообще не понимаю, зачем давать сыну в Англии юридическое образование, — сильно наклонившись вперёд и тряся правой рукой, говорил Вадим, — если ты не хочешь, чтобы он там остался жить дальше! На кой ему английская юриспруденция здесь? Это же его время и твои деньги на ветер! Если тебе денег не жалко, так хоть Митино время...

— А ты мои деньги не считай. Без тебя есть кому посчитать... — пьяно расслабив нижнюю губу, сказал Боря.

— Да не считаю я твои деньги, успокойся! Если бы я их считал, то уже давно либо сошёл с ума, либо убил тебя и ограбил. Боря, друг мой, я ж совсем про другое... Хотя, что я распинаюсь опять?! Ты же услышишь только то, что хочешь слышать, — сказал Вадим и махнул рукой.

— Вот и не распинайся! Своими займись! И детьми своими... Катьке сколько? Скоро пятнадцать? Вот и занимайся...

— Мои девочки при мне! Я их с глаз долой не отправляю... И не тешу себя, мол, там безопасно, там спокойно... Я дыры в воспитании деньгами не затыкаю, понял?!

— Давно понял, Вадик! Давно! Потому что затыкать нечем. Ты Костю давно видел, а? Ты вообще знаешь, как он, что он? А Катя? Она чего по жизни хочет, кроме того, что ты от неё хочешь? Думаешь, она хочет всю жизнь пиликать на... этой... чёрт... — Боря защёлкал пальцами, вспоминая.

— На виолончели, — ехидно напомнил Вадим.

— Да понятно, что не на скрипке! — тоже ехидно ответил Боря. — Эту виолончель ей кто купил? Папа родимый? Не-е-ет! Папа родимый как бы случайно при тупом друге Боре начал скулить: ой, доченьке надо хороший инструмент купить, на дровах она играть не может, надо австрийский брать, а он стоит, как самолёт... Помнишь? — И Боря на этих словах прищурился. — А?! Думаешь, ты самый хитрый... Да тебя с твоими мелочными хитростями насквозь видно. И гонор твой...

Вадим аж задохнулся от обиды, стыда и гнева. Он отлично помнил ту историю с покупкой виолончели, но надеялся, что Боря про это забыл.

— Я тебе очень за это благодарен... — сквозь зубы процедил Вадим. — Сколько тебя можно благодарить? Мне на коленки встать? Или что? В ножки покланяться?...

— Вадик! Не смей тут шута из себя корчить и бедного родственника. Катьке надо было инструмент хороший — я купил. Только зачем было при мне спектакль разыгрывать? Спросил бы... Попросил бы! Дело же простое, хорошее. Ребёнку купить хороший инструмент.

— А Митьке почему не купил? Сколько он тебя просил... Я тебя уговаривал, сам хотел купить... Ты же запретил! Запретил парню делать то, что он хочет! — Вадим весь побледнел и теперь неотрывно смотрел прямо Боре в глаза. Он даже перестал моргать. — Ты чего боялся? Что, если парень возьмёт гитару или сядет за барабан, то и человеком не станет? Мужика из него не выйдет, по твоим понятиям? А чего ж ты со мной якшался, когда я был музыкантом? Тёрся рядом? Весело тебе было со мной. Интересно! Конечно!!! Запчасти продавать не весело, но деньги. Попродавал — и бегом ко мне! Забыл?! — Вадим уже орал громким шёпотом. — Забыл?! А сыну своему радости не дал! Зассал! Гитара нужна была простенькая, и всё... Парень счастлив был бы. Но ты зассал, что он будет не такой, как ты... Что насрать ему будет на твоё величие!.. И что теперь? Что? Митька — лондонский юрист! Так? Белая кость и воротничок! Какая ему гитара? Секс, наркотики, рок-н-ролл... И чего? Насчёт секса не знаю, рок-н-ролла нет, зато наркотики...

Боря с грохотом опустил кулак на стол.

— Я ссал, — сказал Боря страшно ровным голосом, — что он в кабаке играть будет. Вспоминал, как ты до кабака доигрался, и ссал. У меня ты... твоя суета постоянная живым примером перед глазами стояла... По мне, он пусть хоть дурь жрёт тоннами... Только не будет, как ты! Понял?!

У Вадима от этих слов совсем побелело в глазах. Он перешёл на крик, Боря тоже. Потом Вадим не мог вспомнить, что он кричал и что орал в ответ Боря. Но на их крик прибежали какие-то люди, Борины охранники или прислуга. Боря принялся их прогонять, но Вадим воспользовался этим, вышел из-за стола и, как ему казалось, ровным и гордым шагом направился к воротам Бориной усадьбы. Боря что-то ещё выкрикнул вслед, но Вадима уже выпускали за ворота, на дорогу между заборами других усадеб.

На этой дороге Вадим немного опомнился, хотя сердце от гнева билось где-то в горле. Он вспомнил, что до города далеко, и до трассы, где можно поймать машину, тоже не близко... И ещё больше преисполнился благородным гневом и жалостью к себе.

Вадим шёл быстро, но ушёл недалеко. Минут через пять его догнал автомобиль. Вадим услышал шум двигателя и колёс, увидел свет фар и шагнул на обочину, но автомобиль не обогнал его, а поравнялся и остановился. Дверца открылась.

— Вадим Сергеевич! — услышал Вадим знакомый голос. — Вадим Сергеевич!

Вадим, который успел пройти немного вперёд, оглянулся и разглядел Валеру, Бориного водителя и охранника с незапамятных времён. Крепкого, лысого мужика в возрасте, хорошо за пятьдесят. Он всегда нравился Вадиму своей вежливостью и спокойствием в любой ситуации.

— Вадим Сергеевич, — снова позвал Валера, — давайте я вас до дома довезу!

— Спасибо, Валера! Не стоит. Сам дойду. Прогуляюсь, — как можно беззаботнее сказал Вадим.

— Тут вам до утра гулять придётся.

— Вот и славно. Вспомню юность. — Вадим усмехнулся. — А шефу скажи, что я не нуждаюсь.

— Борис Юрьевич не знает, что я поехал. Я на своей. Не переживайте. Он не узнает, что я вас довёз. Садитесь. Всякое бывает... Правда далеко.

Когда Валера подъезжал к дому Вадима, тот успел задремать и даже всхрапывал во сне.

Вадим брал деньги у Бори лишь однажды. Давно. Не хватало на покупку той самой квартиры, в которой Вадим и жил. Тогда подвернулся удачный и просто роскошный вариант. Он устал жить с женой и маленькой Катей в съёмной квартире с компромиссными обоями, мебелью и шторами. А тут подвернулся вариант, какие случаются редко, если не раз в жизни. Нужно было платить быстро, но необходимых денег не было. Вадим всё перебрал и решил обратиться к Боре с просьбой дать денег в долг на полгода, а лучше на год, чтобы как можно скорее сделать ремонт и жить по-человечески.

Вадим обратился к Боре с ответственной просьбой. От отчётливо понимал, что точно сможет вернуть деньги, и сумму определил как реальную. Сроки тоже.

Деньги Вадим получил, но решил к Боре по поводу денег больше никогда не обращаться.

Боря так напрягся из-за той просьбы. Так подробно расспросил, почему и зачем деньги понадобились. Ужасно недоверчиво и дотошно всё изучил, посмотрел даже документы на квартиру, подключил своих юриста и риэлтора. Больше всего его беспокоила причина просьбы, состояние дел Вадима, а главное — не собирается ли Вадим на этом заработать, не хочет ли впоследствии квартиру продать, сдать или сделать некий бизнес.

Вадим на всё ответил, оформил расписку, всё гарантировал на любой случай. Ему та канитель показалась унизительной и обидной. Он не готов был к такому подходу со стороны старого друга. К тому же Вадим понимал необходимую ему сумму смехотворной для Бори, который легко тратил бо́льшие суммы на праздники, аренду яхт, путешествия и подарки.

На совместном отдыхе или в ресторане Боря не давал Вадиму платить. Да Вадим и не пытался изображать, что достаёт бумажник. Боря всё равно не дал бы воспользоваться деньгами. Боря даже сердился, если Вадим при нём собирался за что-то платить.

Боря любил делать дорогие подарки и был внимателен к тому, пользуются этими подарками или нет. Он не забывал приглядеться, носит ли Вадим те часы, что он подарил, и не забывает ли надевать дорогущие запонки. Самому Боре сделать подарок было трудно. К тому же он относился к подаркам невнимательно, благодарен не был никогда. Точнее, был, но весьма формально. Внимания же Боря к себе требовал. С годами стал Боря обидчив на невнимание и ревнив.

Те унизительные проверки, что устроил Боря перед тем как нужную сумму дать, Вадим объяснил себе Бориным богатством и недоверием богатого человека, боящегося, что им просто воспользуются и будут с ним неискренними. Вадим знал, что, разбогатев, Боря часто выказывал опасения, что с ним дружат, любезничают, соглашаются во всём и набиваются в приятели только из-за денег. Вадим то презирал это в друге, то сочувствовал ему, то не мог понять, почему сам терпит Борины выходки и демарши. Вадим иногда задавал себе вопрос: неужели он терпит Борю из-за таинственной сути огромного его состояния и власти?

Но больше всего в ситуации с тем долгом Вадима задело и даже оскорбило то, как Боря принял деньги обратно.

Вадим вернул долг в срок. Всё сполна и в срок. Ему это далось нелегко. Случилась полоса неудач, жена сильно болела, дела шли не очень, разбил машину.

Вадим тогда ужасно напрягся, чтобы вернуть деньги в срок. Остановил ремонт квартиры, ездил на плохонькой служебной машине, отказался от мало-мальски летнего отдыха, что-то даже перезанял по мелочи. Но всё же он справился и гордился собой.

Вадим в назначенный день возврата долга позвонил Боре и попросил о встрече. Тот предложил приехать к нему в офис днём. Вадим приехал в условленное время, долго ждал, беседовал с Настей, Бориной помощницей, пил кофе. Потом Боря освободился и позвал Вадима к себе в огромный кабинет. С ходу стал рассказывать о том о сём, показал фотографии катера, который заказал за границей. Катер был красивый и, по словам Бори, очень быстрый. Ещё Боря вполне формально поинтересовался делами Вадима и в конце концов спросил, зачем тот пришёл. Когда Вадим сказал, что пришёл вернуть долг, что нынче как раз назначенный срок, Боря озадаченно наморщил лоб, и стало видно, что он быстро пытается сообразить, о чём идёт речь. Потом он сообразил и сказал: «А-а-а-а! Точно! А то я вижу, ты какой-то серьёзный и официальный. Подумал: не стряслось ли чего. Ну, слава богу! Насте отдашь».

Вадим понял, что Боря уже и забыл или не совсем забыл, но точно об этом давно не вспоминал и определённо не держал в голове даты возврата долга. Очевидно было, что то, над чем Вадим бился последние пару месяцев, все его усилия и старания собрать деньги вовремя, для Бори не значат ничего, а большая, весомая для Вадима сумма просто ничтожна для Бори. Эта сумма была недостойна его внимания в момент возврата. «Насте отдашь», — прозвучало для Вадима как пощёчина.

Вадим тогда растерялся. А у Бори стал названивать телефон. Боря ответил, извинился и прикрыл трубку ладонью.

— Дружище! Что-то ещё? Прости, тут важно. Надо поговорить, — сказал Боря, явно намереваясь проститься.

— Да, понятно, — ответил Вадим и переступил с ноги на ногу.

— Так что-то ещё? — поторапливая, спросил Боря.

— Просто... расписка... — выдавил из себя Вадим.

— Расписка?.. Ах да!.. У Насти возьми. Она найдёт... Забери себе. Порви, если хочешь.

Тогда Вадим решил: что бы ни стряслось, как бы ни прижало, больше к Боре за деньгами не обращаться.

Но прошли с тех пор годы. Боря стал ещё богаче и, казалось, стал адекватнее своему состоянию и положению в обществе. Как-то поутих он с демонстрациями своего величия, практически оставил барские замашки, и окружающие его друзья-приятели тоже про эти замашки позабыли.

А Вадим не забыл. Ему думалось, что он знает Борю лучше и глубже остальных. Он подозревал, что Боря не изменился, просто вся его некогда показная суть ушла вглубь: обладая звериной интуицией и житейским чутьём, Боря просто научился себя вести. Вадим даже восхищался этой Бориной способностью всегда соответствовать ситуации. Да и что скрывать: никого интереснее, ярче и масштабнее Бори в жизни Вадима не было. Вадим вполне осознавал это. То с гневом, то с тоской, но осознавал.

А знал Вадим так много людей, что можно было бы знать и поменьше. Но именно с Борей были связаны многие важнейшие этапы и события его жизни. Боря как появился в этой жизни давно, так и остался, несмотря на все их ссоры, разницу взглядов и непримиримость позиций. А ещё Вадим был уверен, что он Боре тоже жизненно необходим. Необходим то как совесть, то как связь с юностью и чем-то земным и настоящим в заоблачном и часто нереальном мире больших денег.

Вадим мог многих назвать друзьями, знал же он буквально всех сколько-нибудь заметных в городе людей. Знал политиков и прокуроров, знал спортсменов и артистов, знал врачей и учителей. Знал жён и мужей, знал любовниц и знал детей. В свою очередь, Вадима знал весь город.

Его знали как человека, который с давних пор был заметной и яркой фигурой, ездил на экстравагантных машинах, одевался явно не по местным меркам, водил знакомство со столичными артистами и музыкантами. Вадим был известен тем, что если его пригласить на ужин, то ужин получится весёлым. Он славился тем, что знал массу анекдотов, а главное — умел их рассказывать, его тостов ждали, он мог неожиданно спеть, что-то придумать и спасти самую скучную и вялую вечеринку. К Вадиму относились в городе с улыбкой, то есть не особо серьёзно, но с теплотой. Его рестораны и клуб были какое-то время популярны, успешны и любимы. С Вадимом многие хотели быть знакомы.

Когда после успеха пришли трудные времена и Вадиму пришлось закрыть несколько своих заведений, он стал зарабатывать тем, что организовывал и проводил разные мероприятия и праздники — свадьбы, юбилеи, новогодние торжества. Сначала делал это редко и только для знакомых и заметных в городе людей. Потом понял, что это существенные и не трудные деньги, если отбросить излишнюю гордость и щепетильность. Вадим провёл массу свадеб и произнёс тысячи тостов на многих днях рождения. Так что многие считали себя с Вадимом чуть ли не закадычными друзьями, хотя он не мог их припомнить. И очень многие полагали, что имеют право похлопать Вадима по плечу и обратиться на «ты», несмотря на значительную разницу в возрасте.

Вадим не позволял фамильярности со стороны малознакомых людей из числа гостей той или иной свадьбы или юбилея и пресекал панибратство.

Вообще, в городе его воспринимали как весёлого, эксцентричного, говорливого светского персонажа. Те же, кто знал его лучше, относились к нему как к не особо серьёзному, но честному человеку, гордому и неуравновешенному, способному на сильные вспышки как гнева, так и доброты. У него была репутация не очень делового, но деятельного бизнесмена. В партнёры он никогда никому не набивался, и никто не искал партнёрства с ним, так как знали, что Вадим неуживчив, деспотичен, непоследователен в действиях и не очень удачлив. Всё это Вадим и сам про себя знал.

Но всё же никто и никогда не смог бы обвинить Вадима в деловой нечестности, в жульничестве, серьёзной лжи или вероломстве. И у давних знакомых Вадима на памяти не было таких примеров. Его даже считали уж слишком решительным борцом за справедливость. А несправедливость ему мерещилась всюду и везде. Короче говоря, у Вадима была хорошая репутация в городе.

Последние три года дела шли совсем скверно. Как это обычно бывает с ресторанами, особенно в городах, которые и с натяжкой мегаполисом назвать нельзя, сначала после открытия вся местная публика, склонная к посещению ресторанов, устремляется в новое заведение, а потом обрекает его либо на быструю, либо на медленную смерть. Лишь некоторые рестораны самым странным и не анализируемым образом живут многие годы, практически не меняясь.

С заведениями Вадима случилось как обычно. Когда он прибрал к рукам тот ресторан, в котором играл для публики на бас-гитаре, и, продав с себя всё, вложился в его реконструкцию, ему повезло. В целом время было удачное. Как-то спокойно было в стране, люди почувствовали себя теми, кто может планировать спокойную старость. Многие хотели веселиться. А Вадим представил городу обновлённый до неузнаваемости, но старый и известный всем ресторан. Городу он пришёлся по душе. Вадим пережил первый свой финансовый успех.

Потом он купил кафе в центре, переделал. Туда повалила местная чистенькая молодёжь с хорошими карманными деньгами. Кафе стало модным... Потом ещё кафе, ресторан, клуб.

Был период, когда Вадим поражался цифрам доходов от своих заведений. В детали финансовой жизни он не особенно вникал. Догадывался, что воруют, но в целом был доволен сотрудниками и положением дел. Себя же он ощущал богатым человеком, хотя все деньги пускал на развитие, на себя и на семью брал немного. Квартирный вопрос всё откладывал и оставлял на потом. Разве что путешествовал да позволил себе машину такую же, как у Бори, но не чёрную, а яркого радостного цвета.

Но мода прошла. Не быстро, но прошла. К тому же хорошие времена, как водится, резко сменились плохими, и те, кто заглядывал в спокойную старость, уже не могли из вторника заглянуть в четверг. По ресторанам это ударило сильно, по коллективу и сотрудникам тоже. Выявились проблемы организации и устройства дел, цифры доходов оказались цифрами. Дела Вадима из идущих хорошо превратились в идущие из рук вон. В разгар всего этого Вадим купил квартиру, одолжившись у Бори. Он даже машину хотел продать, к тому же Боря успел сменить несколько автомобилей, а Вадим ездил всё на той же. Однако машину Вадим разбил.

С тех пор дела уже так чудесно, как вначале, не шли. Были взлёты, отдельные и кратковременные успехи, но большого и уверенного успеха не случалось.

Меняющееся время требовало серьёзных изменений методов работы и подходов к ней. Вадиму надо было менять как сотрудников, так и интерьеры, оборудование и суть своих заведений. Но прежде всего ему надо было сменить свой образ и способ ведения дел. Надо было стать гораздо более подробным и жёстким. Однако Вадим пуще прежнего суетился, пытался все свалившиеся задачи решать сам и только какими-то разговорами. Затыкал дыры деньгами, которые зарабатывал свадьбами и праздниками... В итоге всё начало рушиться и растаскиваться. В какой-то момент Вадим с ужасом понял и сам себе сознался в том, что завёл свои дела в тупик и подвёл их к краху.

Клуб. Только старый, с давних пор любимый городом клуб жил своей жизнью. В этот клуб вслед за родителями приходили дети, многие благодаря этому клубу и родившиеся. Вадим и Боря когда-то сами жили клубом. Заполучив его, Вадим отнёсся к нему со всем уважением и почтением. Он ощущал его как старого товарища и коллегу. Каждый уголок клуба, от коридора возле туалетов до сцены, на которой Вадим не раз стоял, был связан с каким-то событием, с какими-то лицами и именами. Он любил клуб и гордился тем, что стал его хозяином, обладателем и хранителем.

Но вот и над клубом нависла угроза.

Вадим поехал к Боре просить денег в долг, потому что надо было спасать клуб. Срочно!

У Вадима, кроме клуба, остался только один, самый первый ресторан. Остальные заведения он продал, какие-то удачно, какие-то неудачно, а какое-то закрыл и помещение сдал в аренду.

Оставшийся ресторан требовал серьёзной реконструкции. С момента полной переделки и открытия всё в нём устарело во всех смыслах, и очередной освежающий ремонт был бы мерой явно недостаточной. Однако ресторан всё же жил. Доходов он Вадиму не приносил, но и убытками не огорчал. К нему привыкли, и эта привычка держала заведение на плаву.

Вадиму предлагали за ресторан хорошие деньги. Молодые, нахрапистые ребята с Кавказа скупали в городе всё, скупали не вникая.

Их предложение было щедрым. Но Вадим отказался. Он видел, кто хочет купить его самый первый и самый важный в жизни ресторан. Он понимал, что, если продать его именно этим покупателям, ресторан моментально исчезнет. На его месте появится кавказское нечто — с другой едой, музыкой, людьми. Для Вадима это было как продать свою биографию тем, кто её не понимает, не знает и не ценит. Вадим хотел сохранить ресторан и, как только позволят средства, сразу поставить его на большую реконструкцию. Он хотел снова порадовать город обновлённым, любимым многими местом. Он хотел снова пережить незабываемый успех. Вадим связывал с этим много планов, а главное — надежд.

В клубе же стряслась беда: приключился пожар. Пожар небольшой, не в зале, а на складе и не в рабочий день. Посетителей не было. Клуб был закрыт. Пострадал только сторож: отравился дымом, не сильно. Сгорело немного, но проблем получилось много.

К Вадиму в клуб нагрянули комиссии за комиссиями. И все находили нарушения и недочёты. Особенно пожарные.

Противопожарные системы клуба устарели, многое не соответствовало новым, постоянно меняющимся нормам и инструкциям. По множеству причин ему грозили огромные штрафы. Клуб моментально закрыли. И только доброе имя Вадима, наработанное годами, знакомства и уважение необходимых людей, проявленная энергия и своевременная, но жуткая Вадимова суета спасли клуб от окончательного закрытия. Его закрыли временно — до устранения замечаний.

На устранение замечаний у Вадима было немного времени. Неработающий клуб превратился из кормильца в грабителя. Времени было мало, а денег на быстрое устранение замечаний нужно было много.

У Вадима этих денег не было. Катастрофически не было! И взять их было неоткуда. Доходов, кроме как от клуба, он не имел. Продать было нечего. Арендаторы, которым он сдавал пару помещений, заплатить за аренду вперёд отказались и выкупить площади по неприлично низкой цене тоже. Кредит взять Вадим не мог, потому что на нём висело несколько. Да ещё разгар лета. Город опустел.

Времена же настали такие, что просить в долг было просто неприлично, даже под проценты, даже под хорошие. Никто не понимал, что будет не только с рублём, но и с теми валютами, которые ещё недавно казались слонами, на которых держится Земля.

Вадим весь извёлся и издёргался. Он отчаянно хотел спасти клуб, свой образ жизни, не продавая ресторан. Не хотел продавать свою личную историю и надежды.

Он приходил домой, когда жена и дочери спали. Говорил дома, что у него очень трудный период. Просиживал много времени за телефонными разговорами, мотался по встречам. Подолгу ждал в приёмных людей, от которых зависело решение проблем закрытого клуба.

Но при всём том выглядел Вадим бодро. Усталость выдавали только глаза... Одет был всегда свежо, независимо и гордо. Никто, кроме посвящённых, даже не догадывался о том, что творится в его жизни. Вадим выглядел настолько благополучно, что кто-то даже обратился к нему с просьбой дать денег в долг. Он отказал, сказал правду, что выручить не может. Но ему показалось, что просивший не поверил и обиделся.

Боря как-то советовал Вадиму хоть иногда выглядеть скромнее, особенно когда дела идут не блестяще.

— Пойми, дружище! — говорил Боря весело и расхаживал по комнате. — Ты же, зараза, всегда так выглядишь, что тебе никто не то что не поможет, но и посочувствовать не захочет. Ты всегда у нас шикарный, независимый и самодостаточный... Ну как такому... — и он широким движением сверху вниз указал на Вадима, — успешному человеку решиться помочь? Никто не захочет чувствовать себя идиотом, а выглядеть дураком. Если тебе что-то понадобится от кого-то в мэрии, в прокуратуре или денег надо будет перехватить... Ты хоть оденься поскромней. Рожу сделай не такую довольную... собой. Плечики приопусти... И только тогда формулируй просьбу. А то у всех проблемы... И как-то обидно и не понятно — давать денег или оказывать помощь более счастливому и благополучному... кренделю. Грустно, скромно, тихо...

— Не дождётесь! — с улыбкой сказал Вадим.

— Да знаю я! — тоже с улыбкой ответил Боря. — Только ты тоже не дождёшься... ни помощи, ни сочувствия.

Последние дней десять до того как решиться на встречу с Борей и попросить в долг, Вадим почти не спал. Он пытался перехватить денег понемногу у разных людей и из разных источников. Но все, кто мог выручить, либо были уже на летнем отдыхе, либо собирались на отдых и отказывали. Надо было решаться: или по-быстрому продавать ресторан, или просить Борю. Вадим долго думал и позвонил Боре.

Он долго, ночами, готовил короткую и внятную речь, в которой изложит просьбу, причины просьбы, все резоны, а также гарантии. Вадим твёрдо решил предложить Боре, чтобы тот дал деньги под процент, и намеревался настоять на этом. Ворочаясь до утра, он всё повторял и повторял эту речь, представлял Борину реакцию, его вопросы и тут же находил исчерпывающие ответы на все возможные вопросы.

В конце концов он позвонил Боре и, пока ждал ответа, волновался. Он всегда волновался, когда звонил Боре. И всегда ругал себя за это волнение. Он волновался, что Боря не ответит и не перезвонит. Проигнорирует. А такое случалось. Вадим переживал. Сердился, когда передавал помощнице или водителю просьбу, чтобы Боря позвонил, как только сможет, а тот подолгу не звонил или вовсе не перезванивал. Вадим волновался, когда видел, что звонит Боря или из его офиса. Он ругал себя за это волнение, считал его плебейством, но ничего с этим поделать не мог.

В этот раз Боря ответил сразу, быстро назначил встречу у себя дома, сказал, что рад звонку и будет рад встрече. Ещё он выразил надежду, что у Вадима всё в порядке и с ним ничего не стряслось.

— Нет-нет! Всё нормально! — соврал Вадим и испепелил себя за глупый, фальшиво беззаботный тон. — Просто давно не виделись... И есть один важный вопрос... Но это с глазу на глаз.

— Жду! — спокойно и ясно сказал Боря и закончил разговор.

— Да, дружище! Подъеду вечерком. Посмотрю, как ты там... — сказал Вадим и понял, что его уже не слушают, что Боря разъединился.

И вот Вадим приехал на назначенную встречу, а разговор не получился совсем. Точнее, получилась отличная ссора. Такая, какие у них были не раз, и даже ещё сильнее. После неё ни о какой просьбе, ни о каких деньгах, даже под самые страшные проценты, речи быть не могло.

На следующий день после ссоры Вадим проснулся рано. Он проснулся, вспомнил всё и пожалел, что проснулся. Вадим обнаружил, что спал на диване. Диван был застелен и явно ему приготовлен. Он не смог вспомнить, как до дивана добрался, как разделся и уснул, но лучше бы ему было не вспоминать того, что этому дивану предшествовало.

Дома было тихо, только шум улицы доносился из открытого окна. Колыхалась занавеска. Вадим позвал жену. Дома никого не оказалось. Жена и девочки куда-то ушли, его не побеспокоив.

Вадим медленно встал, нашёл таблетку от головной боли и долго-долго запивал её двумя полными стаканами воды из холодильника. Потом неподвижно стоял посреди кухни и думал.

Он прокручивал и прокручивал разговор с Борей, тяжело вздыхал и снова вспоминал детали и эпизоды ссоры. Стыдно и обидно было ужасно. И жаль было, что всё произошло именно так, а не иначе. Именно так, как он не хотел, боялся и предполагал.

Но стыдно было сильнее. Он вспоминал Борины слова и выпады, вспоминал свои ответы, те слова, которыми парировал Борины уколы. Вспоминал и оставался страшно недоволен собой. Он стоял посреди кухни в одних трусах, молчал, а сам мысленно находил те удачные и сильные слова, которыми можно было вчера достойно и мощно ответить и даже победить Борю. Но вчера эти слова не нашлись.

И над всеми этими мыслями нависла одна тяжёлая и тёмная, как туча, дума: что же теперь делать? Он думал эту думу медленно и обречённо. Так Вадим стоял долго, а потом пошёл искать телефон. Нашёл, увидел неотвеченные звонки и сообщения. Кому-то перезвонил, кому-то написал. А сам всё думал и думал: что же делать?

После ванной, не одевшись, Вадим стал искать телефонный номер кавказцев, что хотели купить ресторан. Перебрал бумаги на столе, в столе. И только в куче визитных карточек, которые накапливались в большой хрустальной пепельнице, которой Вадим не пользовался по назначению давно, с тех пор как они с Борей решили бросить курить и заключили пари... В ней он нашёл наконец визитку с золотым двуглавым орлом, с телефонным номером из сплошных нулей и единиц и гордой надписью: «Группа компаний «Восточный ветер». Умар Магомедович Дабиев, генеральный директор».

Вадим подержал карточку в руках, несколько раз перечитал её, вспомнил возраст и поведение этого генерального директора и бросил её обратно в пепельницу.

— В самую последнюю очередь, — тихо сказал он сам себе, — в самую последнюю... — пробормотал Вадим, а сам подумал, что просто не может прямо сейчас набрать этот номер, не может так сразу сдаться. Ему нужно немного времени, чтобы свыкнуться и смириться с тем, что другого выхода и возможности у него нет. Боре же он больше не позвонит никогда и ни за что. Это было намного яснее, чем после всех их предыдущих споров и ссор.

Прошло довольно много времени, прежде чем Вадим задумался и обеспокоился тем, что проснулся дома один. Главное — нет дома девочек, и это летом! Он вдруг почувствовал себя страшно одиноко и тревожно. С ним такого не было давным-давно. Он не помнил, чтобы ему доводилось приходить домой, а дома никого не было. Пусть все спали, но были дома. И когда он уходил, кто-то, даже если не провожал, но всё же дома оставался. А тут он вдруг ощутил пустоту своего жилища, и ему стало не по себе.

Вадим тут же набрал телефон жены.

— Алло! — сказал он.

— Да, — ответил её холодный голос.

— А вы где? Я проснулся, а вас нет.

— Мы отъехали.

— Это я понял. Куда? Надолго?

— С каких пор это стало тебя интересовать?

— Так! Не начинай, пожалуйста! Я просто спросил.

— Мы поехали по магазинам.

— С девочками?

— С девочками.

— Чего вдруг? Могли меня позвать.

— Вадим, — сказала жена совсем холодно, — чего тебе? Ты мне мешаешь. Мы в магазине.

— Так почему вы так решили вдруг...

— Не вдруг, Вадим, не вдруг! — Она слегка повысила голос. — Если ты ничего не помнишь, то это не значит, что мы решили сделать это вдруг.

— Чего я не помню?

— Ничего!

— Я серьёзно!

— Серьёзно? Тогда какое у нас сегодня число?

— Пято... Шестое! Шестое июля. И что?

— А завтра?

— Завтра... — Вадим хлопнул себя по лбу ладонью левой, свободной, руки. — Седьмое! Конечно! Катенькин день рождения... Моя хорошая! Я не забыл про день рождения, я просто не вспомнил, что сегодня шестое... — В этот момент Вадим услышал, что жена отключилась.

Оставшийся день Вадим приказал себе ни о чём, кроме семьи и дня рождения дочери, не думать и не изводить себя неразрешимыми на текущий момент проблемами. Он быстро весь превратился в подготовку и обдумывание праздника для дочери. А ей исполнялось пятнадцать. Почти юбилей.

К тому же была пятница, и Вадим мог с чистой совестью отложить все самые важные дела и разговоры до понедельника.

Вадим договорился с кафе в парке у реки. Быстро и опытно обсудил меню и скидки на еду и обслуживание. Коллеги по общественному питанию не отказали ни в чём. Музыкантов он позвал своих, из клуба.

Самое трудное было установить и обзвонить всех Катиных подружек и друзей, не уехавших далеко на летний отдых, пригласить их, уговорить их родителей привезти детей с дач или из школьных летних лагерей... В случае необходимости Вадим звал и родителей. Всё это пришлось делать ему, потому что Катя вдруг заартачилась и как взрослая пятнадцатилетняя барышня заявила, что видеть никого не желает и что ей ничего не нужно.

Однако всё что надо Вадим устроил, а жена взяла на себя Катино настроение, успокоила взбудораженную и ревнующую младшую Соню, выбрала и купила девочкам платья, убедила обеих на следующий день поехать в салон и сделать роскошные причёски. Вадим с женой, как любящие родители, сделали всё что могли и что нужно. Эти заботы так отвлекли Вадима от проблем, что он даже был весел и азартен.

С погодой в субботу повезло. На приглашение откликнулись и приехали пять девочек и два мальчика из числа одноклассников и приятелей Кати. Она была нарядна и счастлива. Приехали родственники, родители жены, семейные старые друзья.

Праздник получился. И как любое весёлое событие, запомнился бы Вадиму только общей радостью да парой десятков фотографий, если бы не один странный и насторожиший Вадима эпизод.

Около четырёх часов дня, когда подготовка была в самом разгаре и вот-вот должны были подъехать гости, Вадиму вдруг позвонил Валера, тот самый водитель Бори, что довёз его до дома. Вадим несказанно удивился звонку, но никак не выдал удивления.

— Вадим Сергеевич, здравствуйте! Это Валера... — услышал в трубке Вадим.

— Да, Валера, я узнал, — ответил Вадим, — здравствуй!

— У вашей старшей дочери Екатерины сегодня день рождения, правильно?

— Да, Валера, сегодня. Всё правильно, — совершенно спокойно сказал Вадим, но при этом почувствовал сильнейшее волнение, смешанное с любопытством.

— Поздравляю вас и вашу супругу, — как всегда медленно, с одной ровной интонацией сказал Валера. — А сколько ей исполнилось?

— Пятнадцать лет, Валера.

— Ого! Замечательно. Круглая дата, — так же спокойно прозвучало в трубке. — Вадим Сергеевич, Митя очень хочет подъехать, поздравить Катю и передать... ой, то есть подарить подарок. Как это можно сделать, чтобы никому не помешать? Как-то ближе к концу мероприятия.

Вадим объяснил, где всё будет происходить, куда и когда лучше подъехать. Валера поблагодарил и попрощался.

А Вадим обрушил на себя массу вопросов, на которые у него не было сколько-нибудь внятных ответов... Что означал этот звонок? Неужели Боря таким образом хочет извиниться? С Борей такое бывало. В смысле, извинений он не приносил никогда и не признал себя виноватым ни разу, но некие первые шаги к примирению порой делал. Но что означает именно этот звонок?

Про Катин день рождения Боря, в принципе, знал. Помнил или нет — другой вопрос. Но он эту дату знал, знал Катю с младенчества и не раз одаривал и поздравлял, если не пропускал и не забывал...

Почему Митя завезёт? Или это Митина инициатива, что сомнительно, потому что хоть Митя и нежно относился к Вадимовым девочкам, однако они были сильно его младше, чтобы по-настоящему дружить. Да и общались они в последний раз давненько.

Проще говоря, звонок из Бориного лагеря поверг Вадима в изумление и непонимание. Но приходящие гости и начало торжества отвлекли его от путаных и волнительных размышлений. Он занялся днём рождения дочери и гостями. Потом выпил вина с кем-то из родственников, потом ещё. Среди детско-юношеского веселья, среди радостных лиц родных и знакомых людей, под несколько бокалов вина и пару рюмочек чего-то покрепче, Вадиму стало хорошо и почти спокойно.

К половине девятого вечера праздник стал для детей утихать, а для некоторых взрослых дошёл до высшей точки веселья. В это время прямо по аллее парка, где проезд автомобилей был запрещён, к кафе подъехала большая чёрная машина и остановилась. Вадим видел это, потому что провожал кого-то из гостей. Из машины вышли Валера и Митя. Они достали с заднего сиденья: Валера — огромный букет цветов, а Митя небольшую коробку, красиво обёрнутую бумагой и обвязанную лентой.

Валера был, как всегда, в тёмном костюме, а Митя — в светлых брюках и белоснежной, хорошей рубашке. Вот только и брюки, и рубашка казались велики минимум на пару размеров. Митина шея нелепо торчала из чересчур широкого ворота рубашки. Митя заметно сутулился. Валера же нёс букет, расправив плечи и широко ставя ноги.

— Где у нас виновница торжества? — улыбаясь, спросил Валера.

— Дядя Вадик, поздравляю вас! — сказал, подходя, Митя. — Где Катя? Мы можем её поздравить?

Вадим, широко улыбаясь, пожал протянутые руки и проводил прибывших в кафе. Он с порога указал им на виновницу торжества, которая весело говорила с подругами в дальнем углу. Играла музыка.

В центре зала несколько взрослых, в том числе жена Вадима, танцевали.

Валера и Митя пошли к Кате. Увидев их, она подскочила, захлопала в ладоши и побежала навстречу. Митя наклонился к Кате, они обнялись.

Вадим не слышал, о чём они там говорили. Катя с удовольствием приняла букет, к ним подошла жена Вадима. Катя отдала букет матери, потом взяла у Мити коробку, сняла ленту, развернула бумагу и вдруг присела от восторга. Она присела, как ребёнок, который увидел что-то неожиданно радостное и прекрасное. Музыку перекрыл Катин восторженный визг. Не прерывая звука, Катя пару раз подпрыгнула, нашла глазами Вадима и бросилась к нему.

— Папа! Папа! — кричала она, подбегая. — Посмотри, что мне Митя и дядя Боря подарили! Фотоаппарат! Профессиональный! Им даже можно кино снимать! А-а-а! — И Катя снова издала счастливый визг, похожий на крик радостного дельфина, тут же развернулась, бросилась обратно и с разбега обняла Митю.

Вадим стоял где стоял и улыбался. К нему подошёл Валера. Митя, Катя и её подружки распаковывали фотоаппарат.

— Как Катя выросла! — сказал Валера. — Я её год не видел, а тут совсем девушка уже.

— И не говори, — ответил Вадим, не глядя на Валеру, а глядя на детей, — сам иногда не верю глазам.

— Хороший у вас праздник. Приятный, — медленно произнёс Валера, осматриваясь.

— Чаю, кофе? Не стесняйся, Валера. Ничего крепче не предлагаю. Может, перекусишь?.. Торт?

— Спасибо.

— Спасибо — кофе? Или спасибо — чаю? — улыбнувшись и похлопав по плечу Валеру, сказал Вадим.

— Я бы сока выпил... Апельсинового, если не трудно, — почти застенчиво попросил Валера.

— Нет! Не трудно. Сейчас.

Вадим принёс стакан сока. Валера в ожидании смотрел на детей, которые фотографировались новым аппаратом. Митя всех фотографировал.

— А моя Марина в августе замуж выходит. Спасибо большое, — беря стакан, сказал Валера.

— На здоровье!.. Как замуж? Сколько ж ей? — удивился Вадим.

— На год младше Мити... Рано — понимаю, — как всегда ровно, но с едва заметной грустью сказал Валера. — Слушать никого не хочет... А что я ей могу сказать? Я её и видел-то обычно спящей. Работа-то не нормированная. — На этих словах Валера улыбнулся тонким своим ртом и отпил сока.

— Марине уже столько лет?! — поднял брови Вадим, задумался. — Ну конечно! Да-а-а! А ты говоришь, моя девушка уже... Надо же! Замуж Валерина дочь выходит! Подумать только!

— Вадим Сергеевич, простите, может, это не моё дело, — вдруг изменив тон, сказал Валера, — но Борис Юрьевич вчера с утра переживал... Переживал из-за вашей ссоры...

— Это он тебе сам сказал? — улыбнувшись только левым углом губ и посмотрев Валере в глаза, спросил Вадим.

— Нет, — очень спокойно ответил Валера, — он просто с утра пиво не пил, не был разговорчив, ушёл в тренажёрный зал почти сразу, а потом плавал долго в бассейне. Переживал, уж поверьте... С Митей был добрым весь день. Говорил с ним... Переживал. Точно.

Вадим ничего не ответил. Молчал.

— Он вас, Вадим Сергеевич, очень ценит и уважает... — продолжил Валера через паузу.

— Спасибо, Валера, — перестав улыбаться, прервал Валеру Вадим, — но это действительно не твоё дело. Ещё сока?

— Извините, — ответил Валера спокойнее обычного. — Не нужно, спасибо!

Больше они не разговаривали. Стояли рядом и смотрели на детей. А те присели за стол и стали, взрываясь смехом, рассматривать на экране фотоаппарата только что отснятое. Митя присел было с ними, но почти сразу встал и пошёл к Вадиму.

— Дядя Вадик, спасибо, что пригласили! — сказал он, подойдя и улыбаясь. — Я бы сам не вспомнил, отец тоже. Подарок — это его идея... К сожалению, сам он никак не смог...

— А собирался? — спросил Вадим и прищурился, улыбаясь.

— Не знаю... Наверное, — растерялся Митя. — Он просто сказал, что вы пригласили... Но он не может... Послал за подарком и велел мне поехать поздравить Катю... и вас.

— От себя что-то передал? — продолжая щуриться, спросил Вадим.

— Так подарок же! — усмехнулся Митя.

— А на словах?

— На словах?.. — Митя развёл руками. — Поздравления.

— И хорошо! Спасибо ему огромное передай. Скажи, что Катя была счастлива подарку. Он угадал, как всегда. Сделал лучший подарок.

— Спасибо! Обязательно передам...

— Может быть, вина? Чаю? Кофе? — спросил Вадим Митю, плавным жестом указывая на стол. — Торт?.. Или чего-то более взрослого? Виски?..

— Нет-нет! Спасибо! Мы поедем... — стал отказываться Митя. — Миссия выполнена, так сказать.

— Не совсем, — сказал, улыбаясь, Вадим, наклонил голову и прищурил один глаз. — Надо всё-таки чокнуться за Катеньку. Пятнадцать лет. Человек прощается с детством вслед за тобой. Один тост.

— Не-е-е! Дядя Вадик! Нет... Я же совсем не выпиваю...

— А вина? — Вадим наклонил голову в другую сторону и прищурил другой глаз.

— Нет-нет...

— А холодного? А со мной?

— Дядя Вадим!.. Говорю же!..

— Вадим Сергеевич!.. — сказал Валера убедительно.

68

— Хорошо!.. — сказал Вадим и поднял руки, сдаваясь. — Но чаю ты со мной выпьешь. Митя! Представляешь, Кате, Катеньке — пятнадцать лет. Чаю?

— Кофе, дядя Вадь! Эспрессо, — согласился Митя.

— Сейчас будет, — сказал Вадим, отдал распоряжения и снова обратился к Мите: — Присядем? А то весь день на ногах. Весело, но хлопотно... Валера, пожалуйста... Мы с Дмитрием посидим вдвоём... Может быть, ещё сока?

Валера отошёл на несколько шагов, присел за свободный столик и уставился куда-то, оставив Вадима и Митю в поле бокового зрения. А те тоже присели за столик. Музыка звучала громко, но разговору особо не мешала.

— Митя, — начал Вадим радостно, — я был так удивлён, так не ожидал тебя позавчера увидеть, что и не задал кучу вопросов. Ты давно вернулся-то?

— Две недели уже, — ответил Митя, теребя салфетку, которую взял со стола. Пальцы его были тонки и нервны.

— Полмесяца здесь, и даже не заглянул, — приподняв брови сказал Вадим. — Мог успеть заскочить в клуб. Все были бы рады... Ребята помнят. Они новую вокалистку взяли. Супер просто! Зажигает! Послушал бы.

— Я обязательно зайду, обязательно. Сам хочу, — ответил Митя, улыбаясь, но как-то скорее вежливо, чем искренне. — Спасибо, — сказал он, принимая чашку кофе у официанта. — Знаете, дядя Вадим, я так устал за весну. Столько материала давали... Там же система не такая, как у нас. В общем, закончил курс не блестяще. Сам собой не доволен, отец тоже. Вот приехал, сижу, читаю. Отдыха пока не заработал. Не заслужил. — На этих словах Митя подался вперёд, поднёс чашку к губам, сделал маленький глоток кофе и вдруг быстро и резко обвёл почти всё кафе тревожным взглядом.

Вадиму принесли вина, и он отпил из бокала. Он уже не сомневался в том, что Митя принимает наркотики. Вот только по симптомам не мог понять, что именно тот принимает, как давно и насколько это серьёзно. Но то, что серьёзно, было ясно.

— Что ж ты, на всё лето домой? — спросил Вадим. — Скоро город совсем опустеет. Жара да пыль. Даже читать будет тоскливо. Первые студенческие каникулы надо провести каким-то запоминающимся образом. Неужели так и просидишь взаперти за книжками?

— За компьютером, — усмехнулся Митя.

— Ну конечно, — в ответ усмехнулся Вадим.

— Я бы в Лондон вернулся, — грустно улыбнувшись, сказал Митя, — там летом чудесно. Или в Питер бы поехал. Туда столько друзей уехали учиться. Зовут. Они домой нынче даже не приехали... В Норвегии, говорят, летом супер. Все, кто были, в один голос твердят: очень хорошо, красиво, интересно, и летом туда много народу хорошего приезжает.

— Ну так давай! Что мешает? — изобразив наивное недоумение, спросил Вадим.

— Что мешает? — горько усмехнулся Митя. — Дядя Вадим, вы серьёзно? Вы видели, как отец со мной разговаривает? Я не то что разговор завести, я заикнуться об этом не могу. — Митя наклонился вперёд, упёрся острыми локтями в острые колени, а салфетку скомкал и зажал в кулаке. — Он собирается скоро куда-то к морю, — сказал Митя, глядя в пол. — Боюсь, меня с собой потащит, одного не оставит... Маме всё равно, что здесь сидеть, что к морю, что в горы... А мне легче повеситься, чем с отцовскими этими...

— Митя, — перебил его Вадим, — Митя!.. Давай ты этого не говорил, а я этого не слышал. Идёт?

— Извините, дядя Вадим! — сказал Митя, резко выпрямился на стуле и залпом допил кофе. — Я просто устал. Вы же отца знаете, он, если за что-то...

— Знаю, Митенька, — снова перебил его Вадим, — ох, знаю! Он мой друг. Старинный друг. Твой отец прекрасный товарищ, талантливый и выдающийся человек. Как отец он, возможно, суров, но в мудрости его я не сомневаюсь... — Вадим глотнул из бокала. — Ты лучше скажи, мне ужасно интересно: тебе нравится учиться, нравится то, что ты изучаешь? Это твоё? Ты пойми, вот Кате сегодня пятнадцать. Каких-то ещё два года, три... И надо будет решать, на кого ей учиться. А она пока вообще об этом не думала. И не думает. Очень не хочу за неё принимать решение...

— Дядя Вадим, — вдруг пересев на самый край стула и наклонившись как можно ближе к Вадиму, сказал Митя громким шёпотом, — выручите меня, бога ради. Обратиться просто не к кому, и возможности нет... Я с отцом сейчас в очень тяжёлых отношениях. Невыносимо тяжёлых. — Митя говорил быстро, страстно и даже лёгкий румянец почудился Вадиму на его бледных щеках. — Но это, конечно, наше с отцом дело... Но у меня крах... Он все мои банковские карты заблокировал, денег не даёт совсем... Совсем! Я даже за телефон заплатить не могу. Уже неделю без телефона. За интернет друг деньги внёс. Лондонский друг... Я же дома не заперт. Я просто из него выйти не могу. Куда я могу пойти без копейки? Дядя Вадим...

— Я понял, — сказал Вадим серьёзно и тихо. — Полагаю, у отца есть причины так поступать.

— Есть они или нет, — ответил Митя, сморщившись, — но это его причины. Я же вас прошу... Выручите меня. Не было бы так безумно нужно, как теперь, даже не подумал просить. Вы простите меня, дядя Вадим...

— Сколько?

— Фунтов двести... Ой, — усмехнулся Митя, — отвык... Сколько сможете... Я отдам обязательно.

— Конечно, с первой зарплаты... — Вадим встал. — Посиди здесь, подожди, я сейчас.

Вадим направился к жене, которая за столом со своими родителями и родственниками что-то громко и весело говорила. Он знал, что у неё есть при себе наличные деньги, должны быть. Но пройдя пять-шесть шагов, Вадим резко остановился.

«Что ты делаешь, идиот? — подумал он. — Ты что, офонарел? Ты что удумал? Дать Мите денег?» — спросил он себя, стоя посреди зала. Он повернулся туда, откуда шёл, и посмотрел на Митю. Тот смотрел на него.

Вадим понял, что захотел и решил дать Мите денег из чувства противоречия и желания мести. Захотел уязвить Борю. Как-то отплатить ему и за горькую обиду, и за деспотизм, и даже за великодушный и, судя по всему, искренний шаг к примирению, за щедрый и действительно желанный подарок, сделанный дочери. За то, что Боря оказался тоньше и мудрее в этой ситуации, чем Вадим мог предположить.

Он постоял пару мгновений и решительно вернулся к столику. Митя встал навстречу.

— Вот что, Митя! — сказал Вадим твёрдо. — Я не могу дать того, что ты просишь... Не перебивай! Не могу не потому, что нету... А потому, что это противоречит воле твоего отца. Прошу, не обижайся. Я тебя искренне люблю.

— Простите меня, дядя Вадя, — сокрушённо сказал Митя, — конечно! Я понимаю... Только отцу, пожалуйста, не говорите, что я у вас... Пожалуйста! Я даже представить себе не могу, что будет!..

— А вот этого я тебе обещать не могу, прости! — сказал Вадим глядя Мите в глаза. Эти глаза стали совершенно затравленными и несчастными. — Спасибо за замечательный подарок и поздравление...

— Митя, — услышал Вадим голос жены, — ты что, уже уходишь? — Она кричала из-за своего стола. — Митя, мальчик мой, ты даже представить себе не можешь, как угадал с подарком. Она же мечтала о нём... давно!

— Митя, родной! Это правда-правда! — радостно и громко сказала Катя, подбегая.

Митю стали обнимать жена Вадима и Катя. Соня скакала рядом и кричала:

— Митя, запомни: у меня день рождения тоже седьмого, но сентября!

В это время к Вадиму подошёл Валера.

— Спасибо, Вадим Сергеевич, — серьёзно сказал он.

— Да за что же, бог с тобой? — пожимая протянутую Валерой руку, спросил Вадим.

— За приглашение... И вообще.

— Да не за что, Валера! — улыбнувшись, сказал Вадим, чуть сильнее сдавил и отпустил Валерину руку.

С утра следующего дня, то есть в воскресенье, Вадим только и делал, что обдумывал произошедшее накануне. Он наблюдал за тем, как Катя радуется фотоаппарату, всё фотографирует и поминутно подбегает то к нему, то к жене, чтобы показать получившиеся снимки. А Соня, взбудораженная, не отстаёт от сестры и канючит, чтобы ей дали пофотографировать самой. Вадим смотрел на это и думал о Мите, о его просьбе, а точнее, о его мольбе и своём отказе. О Боре думал.

Вадим пытался себя убедить в том, что ничего особенного не произошло, что переживать не о чем, сами разберутся. Но не мог. Он так и видел Митю, который остался хорошим, умным, чувствительным и воспитанным мальчиком. Просто он стал несчастным и нездоровым человеком. Затравленным, загнанным в тупик, измученным и ужасающе одиноким. Вадим вспоминал и Борю, который очевидно страдал, видя, что происходит, что творится или что он сам сотворил со своим единственным и горячо любимым ребёнком. Вадим понимал и Борино чувство вины за содеянное, упущенное, и его гнев и бессилие, незнание, что делать с сыном, что нужно сыну для спасения, что необходимо исправить в Мите, в жизни, в себе.

Вадим маялся, сочувствовал и даже жалел и Митю, и Борю. Думал о том, чем может помочь, вспоминал друзей и знакомых, которые столкнулись с подобной бедой, пытался припомнить удачные примеры того, как люди с такой ситуацией справились. Но в голову лезли всё только печальные, если не сказать трагические, примеры, которых он за время владения клубом знал предостаточно.

Вадим успокаивал себя тем, что у Бори есть весь спектр и арсенал возможностей для спасения Мити. Ему доступны лучшие специалисты и психологи, любые зарубежные клиники и реабилитационные центры. Но при этом Вадим почему-то был уверен, что Боря, со свойственной ему самоуверенностью, будет решать всё сам, и грубо, так, как уже начал.

И почему-то Вадиму показалось, что Боря ждёт помощи, нуждается в ней и страдает. А Митя просто вопиёт о помощи, только не знает, какая именно помощь ему нужна. Точнее, думает, что знает, но страшно ошибается. Оба ошибаются и не знают. И отец, и сын.

Так думал Вадим. Он хотел помочь. Но представить себе не мог, как после случившегося между ним и Борей можно эту помощь предоставить. Вадим боялся, что Боря может счесть такое предложение неискренним и корыстным. Вадим боялся унизительного недоверия к своему дружескому и честному порыву.

Однако как друг и как отец двоих детей он считал себя обязанным сообщить Боре о своих серьёзнейших подозрениях, а точнее — уверенности. Он не считал возможным утаить то, что Митя просил у него деньги тайком от отца. Сама эта просьба о многом говорила.

Вадим долго мучился всеми этими мыслями и в итоге решил непременно позвонить Боре и всё ему рассказать.

Вадим обдумал свои слова, попросил жену и дочерей не шуметь какое-то время и его не беспокоить, уединился в спальне и набрал Борин номер. Он приготовил для этого разговора свой самый обычный, повседневный и дружелюбный голос. Вадим знал, что Боря извиняться или даже выражать сожаление по поводу ссоры не станет, и сам извиняться и сожалеть не собирался.

Гудки шли недолго. Боря ответил почти сразу.

— Да, Вадим, — послышался ровный, скорее холодный голос.

— Здравствуй, Боря! — ответил Вадим, вежливо улыбаясь в телефон. — Спасибо тебе большое за подарок. Катя просто счастлива, а мы тронуты.

— Пожалуйста. Я рад, что подарок понравился. Поздравляю с днём рождения дочери, — сказал Боря так же холодно.

Повисло очень короткое безмолвие.

— Я, собственно, звоню тебе в большей степени не для... Хотя, ещё раз спасибо большое, — стараясь быть спокойным и неторопливым, сказал Вадим. — Но вчера я поговорил с Митей и наблюдал его... Вот об этом я и хочу... Точнее, считаю, что должен тебе рассказать... — Молчание со стороны Бори, как показалось Вадиму, усилилось и превратилось в абсолютную тишину.

Дальше Вадим спокойно, без эмоций и эпитетов, чётко и ясно рассказал о том, как встретился и поговорил с Митей. Боря ни разу его не перебил, не задал ни единого вопроса, не кашлянул и даже не угукнул в трубку. Вадим сообщил о своих наблюдениях деталей поведения Мити. Он подробно передал Митину просьбу, их разговор в связи с этим, извинился и сказал, что очень сомневался, но всё-таки понял, что должен об этом сообщить Боре, прежде всего как отцу.

Вадим закончил. В трубке со стороны Бори зияла абсолютная тишина. Не было слышно ни дыхания, ни шипения, ни тресков. Вадим даже засомневался, слышал его Боря или нет, там ли он, в этой тишине, или отключился во время его рассказа.

— Алло, Боря, — аккуратно спросил Вадим, — ты здесь?

— Здесь... — глухо ответил Боря.

Вадим приготовился. Он не представлял себе, какую реакцию может вызвать у Бори этот его звонок. Он просто сделал то, что считал нужным, и хотел исключительно понимания. Однако предугадать Борину реакцию не мог и даже не пытался.

— Друг мой! Спасибо тебе! — вдруг услышал Вадим голос Бори. В этом голосе звучала только открытая и ясная благодарность. — Спасибо!

— Боря, дорогой! Да за что же? — буквально рванулся навстречу Бориной интонации Вадим.

— Спасибо!.. Ты друг! Только друг мог... Может... — Боря явно сильно волновался. — Ты всё правильно сделал... Ты прекрасно сделал, что мне об этом сказал... — Боря даже задыхался от волнения. — Вадик, понимаешь... Я же сам всё видел... Вижу. Но сам себя обманывал. Врал сам себе. Ныл сам себе, мол, со мной не случится, в моём доме не произойдёт, только не со мной... Вадик, спасибо...

— Боря, Боря, — не сразу смог перебить его Вадим, — только ты, пожалуйста, сразу Митю не прессуй. Прошу тебя! Не надо!.. Я бы вообще хотел, чтобы он не знал, что я тебе об этом рассказал. Тут надо потоньше. Тут надо меры принимать серьёзные.

— Надо встретиться, дружище. Срочно, — почти суетливо сказал Боря. — Надо посоветоваться. Мне, в сущности, не с кем посоветоваться, представь. Никто же знать и даже догадываться не должен... Когда можем встретиться?

— Давай сегодня, — подумав секунду, сказал Вадим.

— Давай, — тут же сказал Боря. — Хотя... Нет, Вадик, не сегодня. Воскресенье. Партнёры и министр... Всё к одному... Давай завтра?

— Давай завтра, — сразу согласился Вадим. — Вечером, у меня в ресторане.

— В девять?

— Годится.

— Спасибо, дружище, — сказал Боря взволнованно. — Надеюсь, всё ещё зашло не слишком далеко... Уверен даже.

— Боря! Ты меня удивляешь! — искренне сознался Вадим. — Я был уверен, что у тебя и семейные психологи, и психотерапевты, и вообще всё под контролем...

— Вы слишком много все смотрите американского кино. И слишком хорошо обо мне думаете. Я закончил горно-электромеханический, запомни. Я шахтёром-электриком должен быть, но и им не стал... — прозвучало почти весело. — Спасибо, Вадим, друг мой. До завтра!

— До завтра, дружище!

Вадим в очередной раз убедился в удивительной и непостижимой Бориной способности перешагнуть от отчаяния к надежде и возрадоваться. Вадим много раз видел и всегда поражался этому Бориному свойству. Чем мрачнее и безысходнее виделась или являлась ситуация, тем легче и быстрее Боря находил возможность отнестись к ней с лёгкостью и с тем, что называется затёртым словом — оптимизм.

Вадим после разговора был доволен и взбудоражен. Он был рад, что Боря поверил ему и оценил его поступок. А ещё Боря сам попросил о встрече и согласился на предложенные время и место. Боря хотел и ждал от Вадима помощи. Вадим остался доволен.

В понедельник с самого утра посыпались звонки, и всё неприятные и тревожные. Один неприятнее другого. Все они были по поводу ситуации с клубом. Звонившие либо сообщали безрадостные новости, либо торопили, давили, требовали и даже угрожали.

После очередного такого звонка Вадим решительно подошёл к своему столу и взял визитную карточку генерального директора «Восточного ветра». Он так же решительно и стараясь отбросить сожаления набрал номер. Сначала в трубке заиграла какая-то восточная музыка.

— Алло! — после того как музыка оборвалась, услышал Вадим. — Слушаю.

Даже эти два слова были сказаны с акцентом. Голос был неожиданно высокий и надтреснутый, с хрипотцой.

— Умар Магомедович? — спросил Вадим.

— Да, это я. Кто это? — прозвучало недружелюбно.

— Здравствуйте, это Вадим Туманов, — сказал Вадим, подождал приветствия, не дождался и продолжил: — Если помните, мы с вами встречались по поводу...

— Я вас помню, уважаемый. Что хотел?

— Я хотел бы предложить ещё раз встретиться и обсудить ваше предложение. Если, конечно, объект вас ещё интересует.

— Нас всё интересует. — В голосе и ответе отсутствовали какие-либо эмоции.

Встречу назначили на после обеда в малюсеньком кафе на веранде. Вадим прождал битый час, приехав к назначенному времени. Он сидел под зонтом, пил газированную воду с лимоном и старался быть спокойным и равнодушным.

Городской тёплый пыльный ветер ударял порывами, тогда Вадиму приходилось ловить салфетку, чтобы она не улетала со стола. В какой-то момент он её не поймал, и она упала на пол. «Да и чёрт с ней», — подумал Вадим и не стал её подбирать.

Вадим понимал, что, если бы не он звонил этому Умару, а тот сам искал встречи, ждать бы не пришлось. Вадим был готов и к тому, что о тех условиях, которые были изначально озвучены, можно забыть. Эти ребята с Кавказа будут вести себя жёстко, едва учуяв необходимость продажи ресторана. Но делать было нечего. Других покупателей не было, деньги нужны были немедленно, и Вадим готовил себя к неприятным переговорам, плохим, невыгодным, если не унизительным условиям сделки. Но он знал, что согласиться в конце концов придётся, поэтому необходимо было быть спокойным.

Покупатели приехали наконец, когда Вадим из последних сил душил в себе очередной всплеск гордости, который подталкивал его к тому, что уже давно пора встать и уйти. Стыдно было позволять распоясавшимся юнцам вести себя как хозяевам жизни и мира.

Они приехали на трёх машинах, шумно вышли из них, все говоря разом и размахивая руками. Вадим насчитал семь человек. Двое были в светлых брюках, белых рубашках и очень блестящих туфлях и ремнях. Остальные — в спортивных костюмах разных цветов. Они не сразу зашли на веранду, а довольно долго ещё о чём-то громко, с выкриками, говорили возле своих машин. Говорили так, будто и не ждёт их никто и будто не на назначенную встречу они приехали.

Вадим в этот момент очень хотел быстро встать и уйти. Или сказать что-то дерзкое и уйти гордо. Но он сидел и ждал, крепко стиснув зубы.

В конце концов вся компания вошла на веранду. Они шли между столиками, бесцеремонно всех разглядывая. Один из двух в белых рубашках показался Вадиму знакомым. Видимо, это и был тот самый Умар Магомедович, с которым он договаривался. Во время предыдущей встречи он был не на первых ролях, вёл себя более чем скромно и тихо, поэтому не запомнился.

— Здравствуйте, уважаемый, — встретив взгляд Вадима, сказал именно тот, чьё лицо показалось ему знакомым. — Познакомьтесь, это Шамиль, — представил он второго молодого человека в белой рубашке.

Вадим встал для приветствия и знакомства. Но со всеми приехавшими знакомиться не пришлось. Пятеро в спортивных костюмах, не здороваясь, а только взглядами удавов осмотрев Вадима, разместились за другим столиком и притихли.

За стол к Вадиму сели Умар и Шамиль. Шамиль сразу достал компьютер и уткнулся в него. Разговор вёл Умар Магомедович, периодически тихо обращаясь к Шамилю на неведомом Вадиму языке. Шамиль то кивал, то отрицательно мотал головой и цокал языком. Вели они себя так, словно делали колоссальное одолжение и Вадиму, и кафе, и всему городу просто фактом своего присутствия.

Вадим предполагал, что сумма, предложенная в первый раз, будет существенно уменьшена, но не ожидал, что в два раза. И озвучена эта сумма была так, будто речь шла о никому не нужном сарае, который если и есть причина купить, то только из жалости и от нечего делать.

Вадим старался не раздражаться и не выказывать своего недовольства тем, как проходят переговоры. Он боролся как мог. Но, когда покупатели услышали, что задаток Вадиму необходим сразу, в течение трёх дней и наличными, они совсем распоясались. Отвлекались от разговора и, без извинений, говорили по телефонам, что-то подолгу весело обсуждали между собой на своём языке и хохотали. В какой-то момент Вадим начал понимать происходящее просто как издевательство. У него даже закружилась голова от напряжения и гнева.

В конце концов договорились о сумме на треть меньшей, чем та, на какую в самом худшем случае рассчитывал Вадим. Дальнейший торг был бесполезен, а Вадим уже не мог более выдержать продолжение этой пытки. Сошлись на том, что всем надо подумать сутки и ударить по рукам на следующий день.

Вадим не мог сразу и в столь унизительной обстановке признать своё бессилие, поражение и согласиться на форменный грабёж. Он понимал, что за сутки ничего не поменяется. Но он просто не мог так сразу уступить. Вадим хоть как-то пытался сохранить лицо.

Но больше всего терзался Вадим тем знанием, что, если бы ему удалось перехватить сумму, существенно меньшую, чем заявленный им задаток, можно было не участвовать в этих издевательских переговорах, не потерять ресторан, отдав его за бесценок, и при этом решить все вопросы, да ещё успеть порадоваться лету.

К тому же Вадим помнил те совсем, казалось, недавние времена, когда он сам без особого труда мог дать в долг необходимую ему теперь сумму, не вдаваясь в детали. Или мог купить автомобиль за те деньги, которые в данный момент выручили бы его.

После переговоров Вадим понял, что ничего уже не может сделать сегодня. Он почувствовал усталость и опустошение, поехал домой и прямо с порога прошёл на кухню, перекусил чем-то из холодильника, не разогревая. Потом принял прохладный душ, смыл с себя презрительные взгляды молодых, наглых и надменных покупателей, смыл осадок обиды и унижения, вытерся полотенцем не подробно и упал на постель. Предварительно он открыл в спальне окно во двор и задёрнул шторы поплотнее. Он хотел пару часов подремать перед разговором с Борей. А точнее, организм потребовал от него этого дневного сна, который случался с Вадимом не часто.

Он погружался в сон, слышал неповторимые звуки летнего дневного двора: дети, птицы, листва на ветру — и думал о том, как жалко, что он из-за неурядиц, свалившихся на него, от всей этой нервотрёпки и от собственного ужасного характера пропускает летние радости, не может ощутить прелесть скоротечного лета, слышит, видит, вдыхает лето, но только потеет, а ничего хорошего не чувствует.

Проспал Вадим почти два часа. За окном было ещё совсем светло, но вечер уже дышал в окна и шевелил шторы. Вадим первым делом закрыл окна, опасаясь, что наверняка запустил в квартиру нескольких осмелевших к вечеру комаров, которые запросто могут испортить ночь.

До встречи с Борей оставалось около полутора часов. Вадим позвонил своему бухгалтеру, которая ничем не порадовала, а наоборот. В свою очередь сам Вадим сообщил ей о печальных перспективах невыгодной сделки и заключения её с людьми, которые наверняка доставят бухгалтеру немало хлопот.

Потом Вадим неудачно поговорил с женой о том, чем занять дочерей летом, потому что большинство их подружек разъехались, а остальные должны были скоро уехать. Нужно было что-то решать, чтобы, каждая по-своему, они обе не сошли с ума от летнего безделья и скуки.

Ответ Вадима, что это надо обсудить, об этом надо подумать и что в данный момент ему нечего сказать, вызвал обиду. Вадим услышал, что он занимается только самим собой, что он совершенно не занимается детьми и что тянуть с решением вопроса отдыха девочек нельзя. Вадим сильно не спорил, особенно в части занятия детьми, поскольку с этим было трудно поспорить. Его оправдание, мол, у него сложная ситуация и много проблем, которые буквально навалились, но он старается не огорчать жену и детей подробностями, вызвали ещё большую обиду. Он услышал, что, сколько жена помнит, у него всегда были самые трудные ситуации, проблемы, причём всегда они наваливались, и что это очень удобное оправдание, а то, что Вадим не сообщает своей жене о сути проблем, — не что иное, как недоверие, а порой и ложь.

В общем, Вадим вышел из дома раньше, чем было необходимо, и решил прогуляться по летним сумеркам, которые любил в городе больше всего. Любил когда-то, когда хватало времени и душевных сил любить сумерки и отличать июньские от июльских.

Вадим шёл по знакомым с детства, но давно не хоженым улицам, переходам, перекрёсткам и переулкам, по которым уже только ездил. Видел много людей, которые никуда не спешили летним вечером, и завидовал всем и каждому самой что ни на есть настоящей завистью. А людей в городских летних сумерках было немало. Не важно, что понедельник, главное — лето.

Вадим видел молодую пару с коляской, которая шла мимо одного из немногих в городе больших, красивых и старых домов с аркой и колоннами. Молодые родители поднимали головы и смотрели в уже зажжённые окна. Вадим понимал, что, скорее всего, у ребят нет своего жилья, что ютятся с родителями или снимают угол — вот и гуляют, смотрят в окна и фантазируют: как там, за этими стёклами и шторами? Наверняка там счастье! А как же может быть иначе, когда есть своё жильё, да ещё в таком дивном доме. Смотрел на них Вадим и завидовал.

Видел Вадим деда, который ехал на велосипеде с выцветшим и выгоревшим древним рюкзаком на спине и со старенькими удочками, привязанными к раме скрипучего, собранного из нескольких сородичей велосипеда. Ясно было, что едет дед на ночную рыбалку. Едет недалеко. Вот отъедет за парковую зону до реки, там и устроится. Захватит вечернюю зорьку и рассвет, когда самый клёв, а потом отдаст рыбу соседке, потому что жена или давно ушла, или умерла, или вовсе не было у деда жены. И автомобиля не было. И мотоцикла. Даже велосипед этот он не покупал, не забирал его, блестящий и пахнущий смазкой, из магазина, не снимал промасленной бумаги с новенькой его цепи. Достался ему этот велосипед как-то давно, и не целый, а только часть. Остальные детали насобирал дед бог знает где, но вот едет на рыбалку и ездит так много лет. Проехал дед мимо Вадима, спесиво ругнул звонком какую-то нерасторопную женщину на повороте и удалился. Вадим позавидовал и ему.

Вадим прошёл через сквер мимо компании совсем молодых людей, сидящих на низенькой ограде вдоль аллеи. Некоторые ребята стояли. Они громко говорили, в основном матерились, курили, пили что-то, запивая соком из пакета, и всё вокруг себя заплевали. В этой компании Вадим увидел двух девиц: одну в короткой юбке с хорошими ногами, но сутулую, а другую толстопопую, коротко стриженную и очень громкую. Вадим подумал, что, скорее всего, обе работают за кассами или на складе какого-нибудь магазина строительных материалов. Худющий парень с длинной, совсем белой для лета шеей, сидящий на ограде, скорее всего, моет машины на автомойке. Моет, должно быть, плохо, потому что ему всё равно, что делать в жизни, и он работает медленно. Другой парнишка, сидящий рядом с худым, наверное, вообще нигде не работает, у него последние школьные каникулы, он тянется к взрослым и принят в компанию за деньги, которые дала мама на что-то другое. Он пьянее остальных, может только улыбаться. Ему, видимо, дома попадёт. Остальных Вадим не разглядел и ничего о них не подумал. Однако про всю компанию решил, что нет у них денег, чтобы посидеть в баре или кафе, да и тесно им там. В сквере вольготнее. Радуются ребята лету, потому что зимой придётся сидеть по подъездам, откуда гоняют их мужики, а злобные тётки чуть что — вызывают милицию. Позавидовал им Вадим.

Позавидовал, потому что нет ни у кого из тех, кого он встретил на улице, в собственности старого любимого ресторана с целым коллективом, который надо продать тем, кто его, Вадима, презирает, а он, Вадим, не уважает. Нет у них большого клуба тоже с целым коллективом людей, который надо спасать за счёт ресторана. Нет у встретившихся Вадиму в городских сумерках земляков долгой истории взлётов и потерь. Нет очень богатого друга, состояние которого не укладывается в голове.

И вдруг Вадим подумал, что, вполне возможно, он идёт навстречу с этим самым богатым другом, а тот завидует ему, Вадиму, потому что у него нет этого непостижимого состояния, а стало быть, неизвестных Вадиму проблем неизвестного масштаба, нет бессловесной и отгородившейся от мужа и жизни жены, нет запутавшегося и изломанного отцом единственного сына, нет табуна лизоблюдов и стаи красоток, которым он совсем не доверяет... А есть у Вадима только ресторан да клуб, есть две дочери, есть жена, которая его часто ругает и ворчит на него, есть друзья, которые его любят, есть куча приятелей и знакомых, которые, пусть не очень, но всё же его уважают и ему доверяют. А сам Вадим старается доверять всем.

Вадим подумал так и усмехнулся себе под нос, а следом глубоко и тяжело вздохнул на ходу.

К ресторану Вадим подошёл без пяти девять. Он знал, что нет смысла напоминать Боре о встрече. Боря никогда не забывал о договорённостях. Он часто их нарушал, но всегда предупреждал об опоздании или о том, что вовсе не сможет. Предупреждал не лично, куда там! Звонила его помощница, помощник, какая-нибудь очередная секретарша, Валера. Но Боря предупреждал. В этот раз звонка не было. Так что Вадим не сомневался — Боря обязательно придёт.

Подходя к ресторану, Вадим увидел Борину машину и Валеру, который прогуливался у входа в безукоризненном своём тёмном одеянии. Вадим издалека махнул ему рукой, тот кивнул и улыбнулся. Подойдя, Вадим пожал Валере руку.

— Привет! Всё в порядке? — спросил Вадим.

— Здравствуйте, — чуть наклонившись вперёд, сказал Валера. — Да, всё хорошо. Борис Юрьевич вас ждёт. Спасибо.

Вадим открыл дверь, которая захлопывалась за ним бессчётное количество раз многие и многие годы. За дверью его встретил запах. Тот запах, который как воцарился в его ресторане когда-то, так и не менялся. Кому-то этот запах казался грубым и вульгарным, кому-то напоминал былое, у кого-то вызывал аппетит и сильное слюноотделение. Вадим узнал бы этот запах из всех других в мире. Это был запах его ресторана. Менялись повара, мебель и времена года, но запах оставался.

Боря ждал в дальнем углу за небольшим круглым столиком. Хотя нельзя было сказать, что он ждал. Перед ним стояли тарелки с закусками, графинчик с водкой и рюмка. Когда Вадим увидел его, он, размахивая свободной рукой, громко говорил по телефону. Увидев Вадима, Боря встал для приветствия, быстро с кем-то попрощался и закончил телефонный разговор.

— Вадик! — сказал Боря, протянув руку для рукопожатия. — Ты, как всегда, пунктуален. А я раньше освободился и понял, что голоден. Извини, не дождался тебя. Вот, решил перекусить. Давно у тебя тут не был.

Боря энергично пожал Вадиму руку. Он выглядел весьма бодро. Улыбался, глаза его блестели, будто не было вчерашнего разговора и переживаний. Вадим знал такое состояние Бори как самое деловитое. Они сели.

Боря подозвал официантку, попросил рюмку, тарелку и всё, что положено. Вадим не стал возражать против рюмки, решив, что только чуть-чуть пригубит, да и только. Спорить же с Борей по этому поводу было бы утомительно и, что называется, себе дороже.

— Хорошо у тебя здесь. Ты молодец, — сказал Боря. — Как было, так и есть. Это так редко теперь. Стабильность теперь редка и удивительна.

— А чего ж раз в пять лет заходишь, если так хорошо? — спросил Вадим, улыбаясь.

— Не начинай, пожалуйста, — вполне дружелюбно ответил Боря. — Ты всё знаешь. А где я бываю чаще? Нигде я, Вадик, у нас не бываю... А у тебя хорошо. И вкусно. А главное — не меняется. Вот это здорово! Как ты с этим справляешься? Это же такое подробное дело — ресторан... Я бы не смог.

— Ага! Особенно за те деньги, которые это приносит, — усмехнулся Вадим, — ты бы за такие и смочь бы не попытался.

— Ну что ты за человек, Вадик?! Тебя критикуешь — ты на дыбы, хвалишь — опять на дыбы, — наливая водку Вадиму в принесённую рюмку, довольно весело сказал Боря. — Вот ты стабильно поперечный и вредный человек, а твой ресторан стабильно хороший. Давай за стабильность и выпьем.

Боря тут же чокнулся с Вадимом, залпом выпил рюмку водки, чем-то моментально закусил и хорошо захрустел тем, что отправил в рот. Вадим отпил чуть-чуть и поставил свою рюмку. Боря это заметил, но оставил без комментариев.

— Да ладно, Боря... — немного помолчав, сказал Вадим. — Что тут хорошего? — Вадим жестом обвёл стены и потолок ресторана. — Это всё уже давно требует ремонта. И не просто косметики... Капитально надо всё менять. И людей надо бы кое-каких заменить. Так что меня это всё не радует сейчас. Но, как говорится, жизнь идёт... Что-то я за ней не поспеваю совсем...

— Знаешь, а ситуация с Митей не так однозначна, как тебе показалось, — потеряв всякий интерес к теме и явно желая её сменить, перебил Вадима Боря. — Я вчера и сегодня уже много чего успел сделать и выяснить... Ты не волнуйся, я ему про твой звонок ничего не говорил. Он вообще ни о чём не догадывается... Ох, спасибо тебе, Вадик, что позвонил! Это неоценимая помощь! Если бы не ты, я бы так и пытался добиться от него послушания. Списывал бы его поведение и состояние просто на возраст и собственные ошибки воспитания.

— Боря, дружище! Уже обсудили это. Я сделал то, что должен был сделать. Главное, чтоб помогло.

— Давай за это и выпьем! — тут же предложил Боря и быстро себе налил, а Вадиму долил водки.

Они чокнулись и выпили, Боря до дна, Вадим — почти до дна. Закусили.

— Я, конечно, страшно запаниковал, дружище! — сказал Боря, дожёвывая. — Наркотики! Для меня это всегда звучало как смертельная болезнь. Это то, что я ненавижу и ненавидел всегда. Вы когда по молодости траву курили, я всех и каждого был готов задушить... Не то что нюхать или, не приведи господь... — Боря быстро и схематично совершил крестное знамение. — А тут Митька!!! И весь ужас и ирония заключаются в том, что я его в Швейцарию и во все эти иностранные лагеря пихал из этого жуткого страха перед наркотой. Я его в Лондон отправил по той же причине. Лишь бы подальше от того, что я вижу и слышу здесь... Понимаешь?! Смотрел на него, когда он вернулся, и гнал мысли страшные... Ну худой, так попробуй-ка в Лондоне не исхудать, там же чего-чего, а еды нормальной нет как нет. Англичане — не про еду, сам знаешь. То, что Митька нервный и какой-то не такой... Ну, мало ли. Я с ним в последнее время почти и не говорил. Ругал только да пытался наказывать. Лишения всякие устраивал. Как узнал, что он много занятий пропускает, так сразу с репрессиями. Мне же из его университета письмо пришло... Ох, хорошо, что его в этот момент не было рядом! Я Митю ни разу в жизни не ударил... Даже сильно не шлёпнул... А тут мог бы. Меня из-за него такой гнев, бывает, душит — воздуха не хватает. Задыхаюсь. Сам виноват потому что. Сам. — Боря налил ещё по одной. — Но знаешь, Вадик, я его врать не учил никогда. И примера вранья не подавал. — Вадим только теперь заметил, что Боря хмельной. Он явно выпил, и немало, до его прихода. — Я как увидел, что он, мой Митя, глазами ёрзает, врёт, мямлит какую-то чушь... Так прям едва сдержался. Очень хорошо, что ты мне всё сказал, а то, чёрт знает, сколько я мог бы тянуть. Прекрасно ты, Вадик, поступил. Даже если твой диагноз и не подтвердится, всё равно вовремя. За тебя, друг мой старинный!

Они чокнулись, Боря выпил быстро, Вадим задумался над сказанным, а потом выпил до дна.

— Что ты про диагноз и о чём ты? — спросил Вадим. — Ты хотел встретиться и посоветоваться, так?

— Да-да... Вчера поговорили, и я сразу стал действовать. Переволновался страшно, — положив оба локтя на стол, быстро заговорил Боря. — Посоветовался с одним толковым парнем из наркоконтроля. Исключительно теоретически поговорил. Потом ещё с людьми. В Лондоне многое узнал... Сегодня послал Митю на медицинскую комиссию с утра. Сказал, что покупаю одномоторный самолёт, хочу его обучить им управлять, для этого, мол, нужна комиссия. Он, знаешь, безропотно поехал, сдал кровь, мочу, всё, как обычно. — Боря увидел, что графин с водкой почти опустел, прервал свою взволнованную речь, подозвал жестом официанта, показал, что надо графин пополнить, и продолжил: — Я думал, он засуетится перед медосмотром, испугается... Нет, спокойно, даже заинтересовался самолётом... Спрашивал, что да как, какой самолёт. А я же и правда беру «Цессну» одномоторную, на область. Хороший аппарат. Надёжный, как швейная машинка. Тут без обмана. Сам научусь и буду летать... Давай, Вадик, за детей наших и не наших! Сколько же из-за них самых диких переживаний! — Боря поднял рюмку, чокнулся с Вадимом, и оба выпили. — Короче, утром Митя прошёл осмотр, как положено. Посмотрел его лучший невропатолог, другие... Анализы все были моментально... Ты представить себе не можешь, Вадик, как меня трясло, пока я ждал выводов. Сидел, вспоминал Митю маленького, эти его ручки, голос... Вспомнил, как ему обувь покупал, малюсенькие такие сандалии... В общем, такое дело, Вадик: Митя ни на чём серьёзно не сидит. Анализы ясные, что употреблял, и разное, но уже десять дней минимум ни-ни. А то, что употреблял, — это не мрак.

— Точно? Ну дай бог, — вставил Вадим.

— Но другое ясно, — наклонившись через стол к Вадиму, сказал быстро пьянеющий Боря, — Митька, сынок мой единственный, вляпался в какую-то историю. В какую — ещё не знаю, но то, что куда-то он залез, и залез серьёзно, — это точно... — Боря перевёл дух и продолжил, отклонившись обратно. — Врачи сказали, что у него страшное нервное истощение, что он в ужасном эмоционально-физическом состоянии. Он что-то переживает, тревожится и, скорее всего, чего-то очень боится... Но, Вадик! Это же не наркота, это же не ломки, правда? С этим-то уж как-нибудь разберёмся... Как думаешь?

— Борь, мы со всем разберёмся! Главное, чтобы с нами не разобрались, — лишь бы что-нибудь сказать провозгласил Вадим и уже сам налил водки и поднял рюмку для тоста.

— А вот это им вряд ли удастся! Перетопчутся, — улыбаясь, сказал Боря. Они чокнулись и выпили. — Я узнал, — перейдя на громкий шёпот, продолжил Боря, — что Митя связался с какими-то поляками или сербами... Там, в Лондоне, хоть с марсианами можно связаться... И что-то они там замутили. Пока не знаю что, но скоро выясню... Понимаешь, Митька — так я узнал — пустил на квартиру, которую я ему в Лондоне снимаю, каких-то... не поймёшь кого, взял с них деньги, и никому ни слова. Это я узнал от хозяина. Какие-то вещи успел с квартиры куда-то деть... Возможно, продал. С этими поляками или сербами что-то он мутит. И что-то, что его пугает. И деньги ему ужасно нужны. Вот что мне ясно на этот момент.

— Ничего себе! — только и сказал Вадим. — И это ты считаешь хорошей новостью?

— Отличной! — искренне улыбаясь, ответил Боря. — Превосходной! Главное — не наркота...

— Боря! — перебил его Вадим резко. — Ты веришь, что я в этом что-то понимаю?.. У Митьки повадки человека, который употребляет, слышишь? Не попробовал, не поиграл, а который употребляет! И вид его, глаза... Нервное, говоришь? А нервы от чего? Не спит, не ест почему? Боря, ты хотел посоветоваться, так давай...

— Ты слышал, что я тебе сказал? — опять перешёл на громкий шёпот Боря. — Анализы показали, что употреблял. Да. Но не вчера, а больше десяти дней назад. То есть что-то было, с собой привёз... Но он на этом не сидит. Не торчит. Не болен, проще говоря. Это мне определённо сказали. И это отличная новость! От этого его отучить, хочет он этого или не хочет, дело техники. А то, что он куда-то влез, в какую-то там детскую аферу... Так это ерунда. Это я быстро выясню и закрою тему. Эти мелкие умники, которые там Митьку куда-то втянули... Не важно, что Лондон... Всё везде работает! Они там все сильно пожалеют... Главное, что Митька не торчок, и главное — что не успел ничего непоправимого учудить. Не украл ничего... Не... Главное, того не натворил, чего поправить нельзя, понимаешь? Того, что ни я, никто вообще исправить не может. Давай за это!

— Давай лучше за Митю! Я его люблю, — возразил Вадим. — А пить за то, что он ничего не украл, я как-то не готов. За Митю!

Вадим сказал так, потому что был уже совершенно не согласен с Борей, с его оценкой ситуации. Но ещё Вадим понял, что в нём поднимаются возмущение и гнев. Боря попросил о встрече, просил посоветоваться, помочь, а на самом деле всё уже, как всегда, решил сам, и советы ему никакие не нужны...

Вадим почувствовал в себе уязвлённость и гнев, почувствовал, что пьянеет, но что ссориться категорически не хочет. Однако и быть во всём согласным не может. Вот он и предложил такой тост.

— За него! За моего непутёвого сына! — сказал Боря, и они выпили. — Эх, Вадик! Кто только Митьку врать-то научил? Скрытным быть... Я ведь сам при нём никогда. Я ведь всегда говорил ему, что враньё — это неуважение к человеку и к самому себе. Враньё — удел слабых и зависимых людей. Но ничего! Всё ещё поправимо... Главное, не украл и не... Ну, ты понял... — Боря замолчал ненадолго, хмельно беспомощно заморгал, глядя на стол перед собой.

— Знаешь, Вадя, а я, бывает, думаю. Правда! Очень наивно и глупо думаю... Как жаль, что не все вопросы и проблемы решаются деньгами. Я серьёзно! Была бы всему цена. Но только всему-всему. Понимаешь? Всему. И чтобы не было такого:

это не имеет цены, или этого за деньги не купишь... Было бы проще и понятнее всё... Кто-то, я знаю, так и думает... Многие думают, мол, всему есть цена. Если бы!!! Я все Митины проблемы, конечно, деньгами быстро закрою. Но его взгляд этот, то, как он на меня смотрит, его враньё — это чем закрыть? Кому заплатить?.. Вот, Вадик, дружище! Вот в такие дни и понимаешь, как всё зыбко и как глупо верить в силу денег...

— Стоп! Остановись, прошу! — перебил его Вадим. — Боря! Дружище! Ну не говори теперь про деньги и про то, что они решают и не решают! Пожалуйста! Ты же не хочешь меня обидеть или огорчить, правильно?

— Вадим, боже упаси! — искренне и пьяно сказал Боря. — А в чём дело?

— То, что ты со мной советоваться не будешь, я уже понял, — стараясь быть спокойным и даже назидательным, ответил Вадим, — ты мне уже это пояснил. Твой сын — твои дела. Это понятно... Хотя зачем было меня просить встречаться?.. Ну да ладно, проехали! Но вот про то, что решают деньги и что они не решают, пожалуйста!.. Именно ты, Боря! Именно ты при мне не рассуждай! Прошу, — почти выпалил

Вадим, у которого не получилось быть ни спокойным, ни назидательным.

— Да в чём дело, Вадик?! — подняв вверх брови, плечи и разведя руками, спросил удивлённый Боря. — Что я не так сказал?

— Что не так? Да всё не так, Боря! Вот ты можешь говорить, что деньги решают не всё... Ты можешь! — навалившись на стол, сбиваясь, проговорил Вадим. — Можешь, когда деньги — это некие цифры, когда ты не думаешь и не знаешь, сколько платишь за воду, свет и газ в доме, когда не помнишь количества прислуги и сколько платишь водителю... Тогда можно так рассуждать... Тебе можно! Не спорю!.. А когда от конкретной суммы зависит всё... Всё, понимаешь? Работа, дела, гордость, достоинство, жизненные планы, семья, дети... И не от безумной суммы, а от... Просто суммы... Когда от денег зависит моя жизнь... Тогда я не могу рассуждать, как ты. Потому что для меня сейчас деньги решают всё! Но у меня их нет. А для тебя они решают не всё... Знаешь почему? Потому что они у тебя есть. Всё просто, Боря!.. Всё просто! И давай за это выпьем!

— За что? — обескураженно спросил Боря.

— За то, что у тебя есть, а у меня нет, — быстро ответил Вадим.

— За деньги? — почти беззвучно проговорил Боря.

— Нет! За то, что счастливы мы одинаково, — сказал Вадим, чокнулся с Бориной стоящей на столе рюмкой и выпил один.

Боря посмотрел, как Вадим всё это проделал, к своей рюмке не притронулся, а, наоборот, вдруг расправил плечи и сел прямо. Взгляд его почти прояснился.

— Вадим, что стряслось? — совершенно трезвым голосом спросил Боря и пьяно моргнул.

— Да ничего не стряслось, Боря, — всё ещё в запальчивости ответил Вадим, — сущие мелочи! Ерунда! Просто по той причине, что у меня нет тех самых пошлых и смешных денег, которые ничего не решают, вот это всё, — Вадим обвёл жестом стены, окна и потолок ресторана, как уже недавно делал, — всё, к чему ты привык... к чему привыкли многие... Всё то, что столько лет было моим, где каждый сантиметр помнит тебя, меня, ребят... Всего этого, считай, уже нет. Всё это уже, считай, не моё. Вот тебе и деньги.

— А чьё? — строго и спокойно спросил Боря.

— Ты их не знаешь, — отмахнулся Вадим, — не твой, Боря, уровень.

— Так что стряслось? — спокойнее произнёс Боря. — Объясни толком и без эмоций.

— Что стряслось? — прищурившись и испытующе уставившись прямо в глаза Боре, пьяно спросил Вадим. — А я тебе расскажу. Да пожалуйста! Послушай про мелкую мою возню...

И Вадим быстро, почти не сбиваясь, но и не скупясь на эпитеты, рассказал Боре то, что намеревался рассказать, когда приезжал к нему домой, но рассказать не смог. Рассказал про то, кому, почему и на каких условиях продаёт дорогой ему ресторан. Поведал, как ему от этого больно, горько и унизительно. Боря всё выслушал очень внимательно.

— Так вот почему ты приезжал, — дослушав Вадима, усмехнувшись, сказал Боря. — Вот что ты за человек, Вадик? У тебя всё-таки поразительный талант всё усложнять до крайности и доводить до предела. — Боря, улыбаясь, покачал головой. — Цена вопроса?

— Что? — поняв Борин вопрос и всё внятно услышав, всё-таки спросил Вадим.

— Сколько надо, чтобы было как ты хочешь? Сколько ты хотел попросить? И на сколько?

— Пятьдесят... Лучше восемьдесят тысяч долларов или евро... Так будет проще считать, — стараясь не слышать, ответил Вадим. — На полгода. Лучше на год... Я всё рассчитал. Это надёжно. И процент тоже надо обязательно...

— Завтра, — перебил Вадима Боря. — Нет... Послезавтра. Заедешь ко мне вечером... Сможешь? — спросил он. Вадим снова кивнул. — Домой заезжай, приготовлю тебе пятьдесят тысяч евро. Дам на год. Условия и прочее на месте, послезавтра... Сегодня, прости дружище, и завтра не могу, потому что у меня в кармане таких денег нет. И, кстати, я знаю, сколько плачу за газ и электричество, знаю, какой у меня штат дома, сколько я плачу Валере и охране... Я вообще знаю, кому и сколько плачу, — проговорил Боря очень чётко и ясно. — Только пообещай, Вадик, мне сейчас, что не продашь свой ресторан каким-то чертям... И вообще не продашь никому. А если будешь делать тут ремонт, то не переделаешь всё до неузнаваемости. Пусть хоть что-то будет по-прежнему. Обещаешь?

— Обещаю! — приложив руку к сердцу, сказал Вадим.

— За это! — поднял рюмку Боря.

— А ты пообещай, что с Митькой будет всё хорошо! — почти торжественно сказал Вадим.

— Клянусь! — выдохнул Боря.

Вадим быстро налил себе, и они выпили, не закусив. В ресторане уже не оставалось посетителей, кроме них, если Вадима можно было назвать посетителем в своём ресторане. И они долго ещё сидели, громко говоря и периодически чокаясь.

Утром Вадим проснулся с тугой головой, похмельными, тяжёлыми руками и ногами, но с хорошим взглядом на происходящее, на грядущее и даже на собственное отражение в зеркале. Он встретил новый день в том самом редком послепитейном состоянии, когда, в целом, организму муторно, но когда остроумные глупости так и срываются с опухшего и вялого похмельного языка.

Вадим проснулся рано. Был медлителен, но любезен, нежен и внимателен с женой. За завтраком всех веселил, особенно младшую Соню.

Около одиннадцати он позвонил бухгалтеру и сообщил радостную новость, что выход найден без невыгодной продажи ресторана. Позвонил директору клуба, сказал ему, что всё сдвигается с мёртвой точки и начинаются действия по спасению их детища. Вадим попросил его срочно связаться с теми, кто продаёт, ставит и регистрирует противопожарное оборудование, и надавал ещё кучу заданий.

Когда до назначенной встречи с Умаром Магомедовичем оставалось два часа, Вадим выпил стакан прохладной воды, откашлялся, проверил качество звучания голоса и набрал номер телефона с визитной карточки. Пока в трубке играла восточная музыка, он слегка отнёс руку с телефоном от уха, а когда она стихла, вернул руку обратно.

— Алла. Слушаю, — услышал Вадим.

— Умар Магомедович? — сказал Вадим бодрым, вежливым тоном.

— Да, уважаемый, я слушаю.

— Я прошу прощения за то, что потратил ваше время, — тем же тоном продолжил Вадим, — но звоню предупредить, чтобы больше вашего времени не тратить. Наша сделка не состоится.

— Э-э-э, уважаемый, зачем так говорить? Чего ты хочешь ещё? — В голосе, который всегда звучал одинаково, Вадим услышал раздражение. — Мы вчера хорошо договорились. Тебе ещё денег нада?

— Нет, что вы! — нарочито вежливо ответил Вадим. — Я просто решил, что именно вам продавать ресторан не буду.

— Эй, слушай! Ты мне это лично в глаза скажи! — Голос в трубке поменялся, в нём послышались и удивление, и гнев.

— Простите, Умар Магомедович! Для того чтобы со мной лично встретиться, вам надо сначала научиться вовремя приходить и правильно разговаривать с людьми, которые вас старше. Так что всего вам самого доброго, удачи и успехов! — Вадим проговорил это на одном дыхании, очень чётко, громко и быстро. Его невозможно было перебить. Проговорил и отключился.

— Аллё! Я не понял... — Ещё долетало из трубки, но Вадим уже не слушал. Отключился.

Через считаные секунды ему перезвонили. Вадим глянул на телефон, увидел номер, на который звонил сам, и никак не отреагировал. Только заулыбался. А потом медленно и с удовольствием взял визитную карточку, посмотрел на неё в последний раз и плавным жестом отправил в корзину для бумаг, стоящую под столом. Вадиму было приятно.

Весь день Вадиму было приятно заниматься делами. Он звонил, давал распоряжения, договаривался о хорошем, отказывался от плохого. Жизнь сразу забурлила и запенилась хорошими, радостными пузырьками.

Ближе к вечеру Вадиму позвонил знакомый. Знакомый не близкий, не дальний, а давний. Этот знакомый с давних пор был при должностях. Когда-то — при мелкой, нынче — при заметной. Знакомый позадавал дежурные вопросы про жизнь, здоровье и детей, а потом сказал, мол, его попросили объяснить Вадиму, что он не прав в том, что отказался продавать свой ресторан людям, с которыми уже договорился, мол, так дела не делаются, и вообще. В том, что и как сказал ему этот знакомый, содержалась даже некая угроза и предложение подумать получше и принять верное решение. Вадим подумал, вспомнил других не менее давних, но гораздо более близких знакомых, чем звонивший, при гораздо более заметных должностях, и вежливо послал его куда подальше.

Вадиму приятно было почувствовать себя уверенно и спокойно.

Совсем уже вечером случился звонок, который сначала Вадима огорчил и встревожил, а потом, наоборот, успокоил.

Позвонила одна из секретарш Бори, извинилась и передала его просьбу встретиться не как было договорено, то есть не в среду вечером у него за городом, дома, а в то же время и в том же месте, но в пятницу. Секретарша передала Борины извинения и объяснения, что в среду ему необходимо улететь в Москву, но он уже в пятницу утром вернётся.

— Борис Юрьевич ещё просил передать, чтобы вы не волновались, он всё помнит, и всё будет, как вы договорились, — сказала секретарша под конец сообщения. — Да! В пятницу ещё день рождения супруги Бориса Юрьевича, Ольги Александровны. Он сказал, что вы приглашены с супругой. Борис Юрьевич сказал, что всё будет очень скромно, просил без подарков и по-домашнему. Будет просто ужин, и всех, кто приглашён, вы знаете. Он попросил вас, по возможности завтра, подтвердить, будете вы или нет.

— Спасибо большое, мы непременно будем, подтверждаю сразу, — тут же сказал Вадим. — А сколько Ольге исполняется?

— Мне велено говорить, что исполняется тридцать лет, — хихикнув, ответила секретарша.

Сначала эта новость Вадима обеспокоила, взволновала, но потом он подумал, что всё это означает, что

Боря ничего не забыл, что всё в силе, просто нужно подождать ещё два дня, которые ничего не решают.

— Всё нормально, всё хорошо, — сам себе сказал Вадим. — Боря не подведёт.

Среда и четверг прошли в работе и напряжённых разговорах, встречах, совещаниях. Вадим увидел, как воспрял его коллектив, как все почувствовали надежду, а потом и уверенность в том, что работа у них будет, что всё будет хорошо.

Чиновники и ответственные лица, с которыми он встречался, были довольны тем, что Вадим намерен выполнить предписания комиссии и устранить то, на что было указано. Многие готовы были помогать. Вадим убедился, что к нему в городе относятся по-прежнему хорошо, что заведение в целом на добром счету и что дальше работать и жить можно.

Жена Вадима сначала наотрез отказалась ехать на день рождения Ольги. Сказала, разумеется, что ей не в чем пойти, что там соберётся высшее общество, в которое Вадим её давно не выводил. Сказала, что она в ужасной форме и не в настроении куда-то выходить в люди. Но Вадим убедил, уговорил, настоял. И уже в четверг жена азартно стала готовиться. Выпотрошенный гардероб, перемеренные платья, в пятницу с утра — салон: волосы, ногти.

Жена Вадима была мало знакома с Ольгой. Прежде они встречались в общих компаниях, когда ещё Боря с Ольгой ходили куда-то вместе, но особо не общались. Потом Боря и Оля стали появляться всё больше по отдельности, а ещё потом местное общество потеряло Ольгу совсем, а Боря стал редким дорогим гостем.

Да и жена Вадима после рождения Сони всё реже и реже стала выходить в свет. Всё больше занималась девочками и домом, вернулась на работу и увлеклась ею пуще прежнего. То она целыми неделями увлечённо пропадала в Центральной городской картинной галерее и ужасно уставала, то месяцами у неё шла, судя по всему, скучная и довольно свободная жизнь. Летом работы, видимо, совсем не было, и она много времени проводила дома.

Вадиму было хорошо с ней. Она мудро не стала пытаться соединить их образы жизни в один. У них были периоды непрерывной жажды быть вместе, из этих периодов и появились Катя и Соня, а были совсем другие жизненные периоды. Главное — она никогда не ругала Вадима за потери и неудачи, только сочувствовала и жалела. Она ни разу не потребовала от него чего-то большего, только иногда — внимания, когда Вадим совсем его утрачивал. Она и Вадим были очень разными, жили часто в разное время суток, бывало, что по несколько дней практически не разговаривали, потому что не встречались. Но Вадим был уверен, что ему невероятно с ней повезло, и многие его друзья, близкие приятели часто говорили, что завидуют ему. Вадим не верил, но гордился.

В пятницу после полудня стало ветрено, налетели облака, потом тучи, а после обеда стало накрапывать. Дождь то принимался сильнее, то капал едва, но не прекращался. Стало прохладно. Запахло землёй, листвой, мокрым городом. Около пяти позвонила Вадиму Борина помощница, напомнила про день рождения, про время сбора и предложила взять с собой в связи с погодой какой-нибудь лёгкий плащ или куртку, потому что что-то из программы вечера будет происходить на открытом воздухе, а дождик вполне возможен.

Были времена, и не так уж давно, когда у Вадима была отдельная машина с водителем. Но от этого блага пришлось отказаться, к радости жены. С водителем Вадим приезжал домой почти всегда если не пьяным, то подшофе.

В этот раз Вадим заказал такси с доставкой, ожиданием на месте и обратно. Жене он запретил садиться за руль, чтобы та смогла выпить.

— У Бори же будет такое шампанское, какое в городе только у него и можно выпить, — говорил жене Боря. — Брось руль на сегодня. Ты же любишь шампанское, я знаю.

Она любила шампанское. Выпивала пару бокалов и становилась смешливой, говорливой, румяной, а после третьего-четвёртого бокала решительно шла танцевать. С ней такое случалось редко, но зато сильно и весело.

Ехать к Боре надо было минимум минут сорок. К семи часам Вадим был готов к выходу вполне. Льняной пиджак оливкового цвета, белая рубашка, коричневые брюки. Ему пришлось нервничать и из прихожей кричать и звать жену, которая металась из спальни в ванную, из ванной на кухню, к девочкам, из кухни в спальню, решив в последний момент снять выбранные бусы и надеть другие. Когда терпение Вадима было не на пределе, а уже за пределами, жена успела сказать: «Вадим, ты поезжай один, я всё же не поеду!» Это немедленно высекло молнию и гром. В четверть восьмого, за сорок минут до назначенного времени, они вышли из дома, сели в такси, где жена сразу сказала, что забыла взять куртку и плащ для открытого воздуха.

— Чёрт с ними! — вибрируя от раздражения, но сдерживаясь в присутствии таксиста, сказал Вадим. — Тебя сейчас домой не пущу. Иначе мы вообще не выедем отсюда. А нам ещё за букетом надо заехать. Мы опаздываем... Собственно, как всегда с тобой. Поехали.

Они забрали заранее заказанный Вадимом здоровенный букет и поехали к Боре. Таксист плохо знал дорогу и ехал неуверенно, так что они опоздали почти на двадцать пять минут. Вадим нервничал ужасно, сердился, ворчал.

Такси только подъезжало к воротам Бориного дома, как эти ворота стали открываться. Во внутреннем дворе стояло несколько машин. Видимо, гости были уже все в сборе. Капал дождик. К такси подошёл охранник, заглянул внутрь, улыбнулся, открыл дверцу со стороны, где сидела жена Вадима, раскрыл зонт и предложил руку, чтобы помочь ей выйти. Вадим вышел сам, к нему тут же подскочил ещё один охранник с зонтом. Вадим не без труда извлёк из такси, с переднего сиденья, очень большой, разноцветочный и сложносочинённый букет, и они с женой, в сопровождении охранников с зонтами, пошли ко входу в дом.

— Как же я ненавижу опаздывать, — сквозь зубы и с упрёком прошипел Вадим, — но с тобой это невозможно!

— Что невозможно? — невозмутимо спросила жена.

— Приходить вовремя...

— А-а-а! Пожалуйста, выражайся яснее, — иронично, язвительно, но весело ответила она.

Она шла с прямой спиной, нарядная и даже величественная. Вадим удивлялся её быстрым метаморфозам. От той женщины, что металась от ванной к спальне, не осталось и тени. Ещё он знал и научился ценить её иронично-непробиваемое спокойствие в те моменты, когда Вадим нервничал, раздражался и не мог, а вернее, не желал сдерживаться и скрывать раздражение.

На веранде у входа в дом Вадим увидел Митю. Тот стоял, нарядно одетый, под полосатым тентом и, ссутулившись, смотрел куда-то прямо перед собой. Услышав шаги и заметив движение, Митя посмотрел в сторону идущих, выпрямился, узнал Вадима, лицо его поменяло безжизненное выражение на внимательное, и он шагнул навстречу Вадиму и его жене.

— Дядя Вадим, тётя Лара! — сказал Митя. — А я вас тут дожидаюсь. Все уже собрались...

— Митенька, какая я тебе тётя! Не смей меня так называть, — строго, но весело перебила Митю жена Вадима, — особенно при других людях. И при маме тоже не надо. Лара, Лариса, понял? Тоже мне, племянник...

— Извините! — Митя казался взволнованным и говорил быстро. — Я понял, попробую. — Он попытался вежливо улыбнуться. — Дядя Вадим, простите, можно вас на минутку? Лара, извините, пожалуйста.

— Но только на минутку, Митя, — согласился Вадим.

— Подожди чуть-чуть, у юноши секреты! — Это он сказал жене. — И подержи этот букет.

— Нет уж. Этот куст держи сам, он мне не под силу и не соответствует образу, — ответила жена и прошла несколько шагов вперёд.

— Дядя Вадим, — показав жестом охраннику, чтобы тот отошёл, громким шёпотом сказал Митя, — простите, пожалуйста, вы отцу ничего не говорили? Ну... Про тот наш разговор... про то, что я вас попросил?..

Вадиму ужасно неудобно было говорить, обнимая большущий, тяжёлый букет. Вадим нервничал из-за опоздания и совсем не хотел сейчас объясняться с Митей.

— Нет. Не говорил. Хотя, думаю, что должен был это сделать, — соврал Вадим. — А что?

— Спасибо, дядя Вадим! — с облегчением сказал Митя. — Просто отец как-то... Да нет, ничего. Я боялся просто. Думал, что он из-за этого... Нет-нет, тогда всё нормально. Извините. Я только об этом и хотел просить. Пойдёмте...

Вадим с женой присоединились к остальным как раз тогда, когда все решили рассаживаться за стол, накрытый в большой и ярко освещённой гостиной.

Ольга и Боря приветствовали Вадима с женой объятиями и поцелуями. Вадима наконец-то избавили от букета, забрали его и унесли, вместо него дали бокал шампанского. Все поздоровались. Всех было немного. Три семейные пары давно знакомых людей, но с которыми не было никаких совместных воспоминаний и событий. Это были, скорее всего, подруги Ольги с мужьями. Ещё была Олина мама, пожилая женщина, судя по всему, принявшая свалившуюся на неё роскошь как должное. К Вадиму и его жене подошла познакомиться очень ярко одетая и резкая в движениях блондинка с мощным макияжем. Она оказалась Олиной младшей сестрой.

Сама Ольга была одета во что-то восточное, скорее всего индийское. Ей это очень шло. В её тёмные волосы были вплетены живые цветы, да и сама она походила на какое-то диковинное растение. Ольга поблагодарила Вадима с женой за приезд, за цветы и совершенно искренне восхитилась тем, как выглядела жена Вадима. При этом, очевидно, не вспомнила, как её зовут.

— Лариса, — заметив заминку, весело напомнила сама Вадимова жена.

Пока Вадим со всеми здоровался, чокался, улыбался и прочее, Боря стоял чуть в стороне и беседовал с двумя взрослыми мужчинами: одним — в синем, другим — в клетчатом пиджаках. Тот, что в клетку, был ещё и в массивных роговых, очевидно, очень дорогих очках.

Как только опоздавшие Вадим с женой закончили с приветствиями и любезностями, все наконец-то двинулись к столу. В этот момент Боря подошёл к Вадиму.

— Вадик, спасибо, что пришёл, да ещё с Ларой! — негромко, только Вадиму сказал Боря. — Ты извини за ожидание, так получилось. А тут вот что... У Ольги день рождения... Ей-то всё равно. Но её мама, сестра, подруги, вся эта канитель... А ко мне мои швейцарцы прилетели, — Боря скосил глаза в сторону мужчин в пиджаках, — очень серьёзные крендели. В очках — реально богатый парень. Надо с ними побыть и Олю не обидеть. Решил совместить. Немцев беру на себя. Давно обещал показать дом и семью. Они посидят недолго, потом их куда-нибудь отвезут... Где будут те, ради кого и чего они все сюда так любят ездить... Ну а уж остальных... Ты же можешь! Тосты, анекдоты. Помоги, Вадик. И Олю порадуй. А потом посидим вдвоём, всё решим, поговорим... Как мы любим.

— Ну конечно, дружище! — с готовностью ответил Вадим. — Я это сделал бы, даже если бы ты не попросил.

— Спасибо, Вадик! Спасибо! — сказал Боря, потрепал Вадима по плечу и обратился к кому-то из прислуги: — Позовите Валеру сюда, прямо сейчас... Вадик, пойдём к столу, только нас и ждут.

Вадим прошёл на своё место рядом с женой. Боря дождался Валеру, который явился немедленно, отдал какое-то распоряжение, Валера кивнул и удалился, а Боря пошёл и занял своё, совсем не центральное место рядом с иностранцами.

— Ну что все притихли, как неродные? — громко сказал Боря. — У всех налито?..

Боря сказал первый, довольно вялый тост за свою верную и прекрасную жену. Все выпили, стали есть то, что быстро раскладывали по тарелкам расторопные молодые люди в белых рубашках и чёрных бабочках. Ольга громко сообщила о том, что всем подали в первой подаче, и снабдила сообщение комментариями. Ей самой подали что-то отдельное, маленькое и, очевидно, вегетарианское.

Вскоре в дверях гостиной появился Валера, который привёл Митю. Митя прошёл к столу, подошёл к отцу, наклонился, коротко пошептался с ним и занял свободное место напротив Вадима. Вадим улыбнулся Мите, Митя тоже и опустил глаза. Валера, пронаблюдав за этим, безмолвно исчез.

Сначала застолье проходило скованно, скучно и чинно. Еда и вина были превосходны и безупречны. Швейцарцы откровенно восхищались и делали соответствующие лица и жесты. Олина мама и сестра ковырялись в своих тарелках, перешёптывались, под-

126

жимали губы и демонстрировали непонимание. Вино они отпивали по чуть-чуть. В итоге сестра попросила унести тарелку с практически нетронутой едой, а мама попросила морса.

Остальные переговаривались, ели, пили и входили во вкус. Митя немного, что называется, поклевал из своей тарелки, а дальше попивал воду с лимоном, глядя на стол перед собой отсутствующим взглядом.

Прозвучали тосты за родителей в лице присутствующей мамы, за сына Митю, который не родился бы и не стал бы таким прекрасным парнем, если бы когда-то не родилась виновница торжества. Мама Оли в качестве тоста рассказала историю про то, как Оля была маленькой и что-то сделала или сказала, после чего мама поняла, что её дочь станет умницей и красавицей. Боря во время этой притчи что-то тихонько говорил иностранцам, видимо, переводил. Те кивали. Митя вежливо улыбался в процессе тоста о нём, да так и остался с этой улыбкой на лице.

Потом принесли другую, горячую еду, вина выпито было уже немало, говорить за столом стали громче.

— А я бы выпил водки! Под такую-то еду, — вдруг громко хлопнув в ладоши и потерев ими, сказал Боря. — Кто со мной, поднимите руки.

Подняли два мужа Олиных подруг, правда, один тут же под взглядом жены опустил руку, чем вызвал общий смех. После короткого перевода сказанного резко подняли руки оба швейцарца, и почти сразу после них — Ольгина сестра.

— Вадик! А тебя я даже не спрашиваю! — сказал Боря.

— А меня? — спросила жена Вадима. — Кто его домой потащит? Ты, Боря? — прозвучало весело, но не без вызова.

— Старая гвардия ещё всех вас по домам растащит, — парировал Боря. — Водки! — Это он уже крикнул тем, кто должен был эту водку принести.

Не прошло и сорока минут, а в гостиной уже звучали взрывы смеха, громкие голоса. Вадим говорил тосты, перемежал их анекдотами. Потом Боря куда-то отошёл с иностранцами, сразу стало совсем свободно и шумно. Ольгина сестра закурила за столом, её спроводили на веранду, и туда же пошли мужья подруг. Так они все вместе и ходили туда, всё чаще и чаще.

В какой-то момент Боря вдруг вернулся вместе со своими иностранцами и потребовал всех без исключения во двор. Когда все вышли из дома, зазвучала музыка. Это во дворе, под мелким летним дождиком, дождавшись команды, заиграл небольшой оркестр, человек пятнадцать музыкантов и дирижёр. Горели гирлянды, хлопнуло шампанское, и через несколько секунд после этого хлопка где-то за домом, но недалеко, что-то громко выстрелило, кто-то из женщин взвизгнул, и над домом с мощным звуком распустился роскошный фейерверк. Залп за залпом взлетали в тёмное, без звёзд, небо. На дождик никто не обращал внимания, и все радовались, даже хлопали в ладоши. Во время одной яркой вспышки Вадим опустил глаза и глянул в сторону. Там он увидел Митю, который смотрел в небо, на чудесные огни и заворожённо и радостно улыбался.

— Ну ребёнок же совсем, — сам себе одними губами проговорил Вадим.

После фейерверка швейцарцы откланялись, и Валера проводил их куда-то под звуки оркестра. А остальные вернулись в дом. Вскоре подали торт с полутора десятком свечей, свет к торту в гостиной погасили, прислуга жизнеутверждающе спела «Хэппи бёздей», гости, как могли, помогли.

Потом появились певец и певица, какие-то разнообразные напитки, а также кофе и чай. Сестра Ольги пошла танцевать, следом — жена Вадима, потом ещё кто-то. Случились общие танцы. Даже Оля немного потанцевала. Бори при всём этом не было. Он куда-то отошёл после того, как задули свечи и стали резать торт.

— Дядя Вадим! — Вдруг среди этого веселья Вадим услышал направленный ему прямо в ухо голос Мити. — Можно вас на минутку, давайте отойдём... тут громко.

Вадим с Митей вышли из гостиной и прошли на веранду, где никого не было. Только вдалеке, ближе к ограде, прохаживался охранник с зонтом. Дождь припустил сильнее.

— Дядя Вадим! Выручите! — очень быстро заговорил Митя. — Я сейчас не про деньги. Не думайте. Просто очень надо. Необходимо, а обратиться совершенно не к кому.

— Что такое, Митя? — спросил Вадим. — Давай-ка по существу.

— Дядя Вадик, дайте телефон позвонить. Один звонок. Минуту! — Митя говорил серьёзно, и очень. — У меня совсем никакой связи нет уже третий день. Даже интернета. Вы ничего не подумайте... Мне просто предупредить надо... Сообщить, что я пока без связи совсем и что всё нормально. Просто люди меня потеряли. Волнуются наверняка.

— Почему я? — спросил Вадим.

— Отец запретил мне любые контакты и всем в доме приказал...

— Понятно... — сказал Вадим и повернул голову в сторону. — Ты ставишь меня второй раз в двусмысленное положение.

— Я вам клянусь, дядя Вадим, — приложив руки к груди, сказал Митя, — только скажу, что без связи, но всё нормально. Прямо при вас скажу. Это страшно важно... А отец не хочет даже выслушать, не даёт возможности объяснить...

— Ну хорошо! — во многом из-за того, что совсем недавно соврал Мите, согласился Вадим. — Но только так, как ты сказал.

— Боже мой, спасибо! — радостным шёпотом прокричал Митя. — Только сразу должен сказать — мне в Лондон надо позвонить... А это не дёшево.

— Ну что с тобой делать, не разорюсь поди, — сказал Вадим и полез в карман в поисках телефона.

Ровно в эту секунду открылась дверь дома, и из неё выглянул Боря. Вадим и Митя замерли.

— Ах, вот вы где! — крикнул Боря. — А я вас потерял. У вас какие-то секреты?

— Да ну что ты, Боря! — смеясь ответил Вадим. — Отошли на воздух. Там просто не наша музыка. Мы такое не любим.

— А-а-а, от народа отрываетесь... — усмехнулся Боря. — Нет уж! Сегодня не выйдет. Пойдёмте-ка обратно... Вадим, там у нас жёны, между прочим. Пляшут и ропщут на нас... Сын, а если ты не хочешь с нами, пенсионерами, можешь нас покинуть. Только пойди мать поцелуй.

Вадим и Митя пошли в дом. Пропустив Митю внутрь, Боря задержал Вадима у двери.

— Он что-то от тебя хотел? — спросил Боря пытливо.

— Да нет... Просто болтали, — пожав плечами, ответил Вадим.

— Ну-ну, — тихо сказал Боря.

— Он спросил, говорил ли я тебе о его просьбе, — добавил Вадим, — я сказал, что не говорил. Это всё.

— И правильно. Пошли! — И Боря увлёк его в дом.

В гостиной было ещё веселее, чем прежде. Сестра Ольги забрала микрофон у певицы и сама пела что-то громкое, ей все подпевали, особенно мама.

Вадим увидел, что жена его тоже подпевает и даже пританцовывает с бокалом в руке. Ольги в гостиной не было.

— Пойдём, вон там присядем! Там потише! — громко, перекрикивая шум, предложил Боря и увлёк Вадима к диванам, подальше от веселья. — Эх, Вадик, если бы ты понимал, о каком деле я сегодня договорился с этими немцами! Очень давно шёл к этому... — Боря шумно, с удовольствием вздохнул. — Этот Ёган... В очках... Такой жук, но матёрый финансист. Недоверчивый, хитрый... Я таких не встречал... Но всё! Ударили по рукам. Победа! Сейчас выпьем... У меня есть бутылка виски выдающаяся! Держал для особого случая. Думаю, это он и есть.

— Что ж, поздравляю! — сказал Вадим. — Тебе виднее, какое это событие. Если ты рад, то выпью с удовольствием.

— Ещё какое событие! Уж поверь, праздник просто! — Боря в подтверждение слов покивал головой. — Редко бывает так, чтобы я был настолько доволен делами. Если бы не эта мутная история с Митькой, если бы не он... я вообще мог бы сказать: «Всё хорошо!» Но ничего... Я уже знаю, что с этим делать...

Принесли бутылку виски в красивом деревянном ящике, можно сказать, шкатулке. Подали два массивных хрустальных стакана.

— Вот, — сказал Боря, открыв ящик и достав бутылку с содержимым цвета прекрасно заваренного чая. — Долго она нас ждала, Вадик. Ей лет... Больше, чем той, кого мы сегодня поздравляли. Мне эту бутылку подарили... Хотя... какая разница! Давай выпьем.

Запах и вкус виски были мощными. Вадима даже слегка передёрнуло.

— Может, можно льда? — робко спросил Вадим, ощущая сложный вкус во рту, горле и носу.

— Разве можно такой виски портить льдом, Вадик? — развёл руками Боря. — Хотя... Сегодня никакого насилия над личностью. Лёд — значит лёд.

В это время одна семейная пара подошла попрощаться с Борей и Вадимом. Они поблагодарили и ушли. Мужчина был заметно пьян, а женщина этим напряжена. «А мы ведь пили одинаково, — подумал Вадим. — Вот что значит — не умеешь, не берись».

Принесли лёд.

— Вадик, а я, ты уж прости меня за это, поинтересовался твоими делами. Мне сообщили о состоянии твоих дел, — сказал Боря, наливая снова и подкладывая Вадиму лёд. — Ты почему ко мне раньше не обратился? Можно было всё предотвратить... Можно же было не просить какие-то мелочи в долг, а избежать самой ситуации. Не пришлось бы доводить до крайней черты. Можно было придумать схему...

— Боря! Дружище! Спасибо, что выручаешь, — мягко, но внятно перебил его Вадим, — ты — это ты. Ты гений и мыслишь глубоко и масштабно. А я маленький, глупый... Но живу, как умею и как могу. Мне уже меняться поздно. Так что помоги мне такому, какой есть.

— Да не волнуйся ты! Договорились уже! Вот только провожу всех и ещё немного посидим. Оля спать пошла. У неё режим, мать его... И посидим, ладно? У меня же сегодня событие... Ты даже не представляешь какое!

— Только я расписку напишу, иначе не возьму... — быстро сказал Вадим.

— Т-с-с-с! — приложив палец к губам, прошипел Боря. — Что за глупая в тебе гордость и спесь? Всё сделаем как скажешь... Вот всех проводим... А я тебя всегда за эту спесь твою и любил. Только это же невыносимо! Ты ну ни на секунду не расслабляешься, дружище!

Вскоре попрощалась и ушла ещё одна семейная пара. С ними, точнее, с мужской её половиной, выпили на посошок. Вадим и Боря вернулись к столу. Жена Вадима и сестра Ольги весело обсуждали, какую песню спеть. Ольгина мама что-то очень серьёзно объясняла оставшейся семейной паре. Те вежливо и внимательно слушали.

— ...Вы даже не думайте ей потакать! А то распояшется! Сядет вам на шею и ножки свесит... Это же такой народ, никакого доверия им. Всё должно быть под контролем, — услышал Вадим.

— Давай-ка чайку, а? — сказал Боря. — Сейчас чай будет в самый раз. И коньячку. У меня есть. Хороший! Отличный просто!

— Давай! — согласился Вадим. — А то этот виски слишком ядрёный.

— Так и событие ядрёное, Вадик... — улыбаясь, сказал Боря. — Я до сих пор поверить не могу в то, что удалось продвинуть. Ну да бог с ним! Просто настроение прекрасное. Супер! — И Боря слегка ударил Вадима по плечу. — Чайку! И немедленно!

Потом пили чай с коньяком и ели торт, который оказался не только вкусен, но и очень кстати. Вадим понял, что давно не ел торта, а с таким удовольствием — очень давно.

Жена Вадима и сестра Ольги весело пели вдвоём грустную песню про женское одиночество, как вдруг всё благодушие окончания праздничного застолья было оборвано.

В гостиную почти вбежал Валера, огляделся, нашёл Борю, быстро подошёл к нему и что-то проговорил на ухо. Боря, не сдерживаясь, выругался, вскочил, с грохотом оттолкнув стул, и оба выбежали из гостиной.

Мама Ольги прервала свою речь, песня моментально стихла, Вадим встал. Все недоумённо смотрели туда, куда убежал Боря.

Вадим постоял пару секунд и быстро вышел следом. Он увидел, что на веранду дверь распахнута. Вадим почти вбежал в неё и остановился под тентом, по которому колотил сильно разошедшийся дождь.

Во дворе и возле ворот во двор он увидел много людей. Человек десять. Это, видимо, были охранники, водители, Валера. Они стояли полукругом, ничем не защищаясь от дождя. В образованном ими полукруге бегал Боря и громко кричал, размахивал руками и даже приседал в крике. Вдруг все разом разбежались. Человек пять сели в две машины, ворота стали открываться, и, как только открылись достаточно, оба автомобиля один за одним буквально выскочили и с истеричным рёвом умчались в дождливую темноту.

Валера кому-то звонил. Боря стоял перед открытыми воротами и смотрел туда, куда уехали машины. Во дворе осталось такси, на котором приехал Вадим. Рядом с ним стоял под зонтом таксист, курил и посматривал на всё с любопытством. Вадим растерянно пытался сообразить, что происходит.

Боря постоял под дождём секунд двадцать, резко повернулся и, глядя себе под ноги, быстро пошёл к дому.

— Что стряслось, Боря? Бога ради! — спросил Вадим подходящего Борю.

— Митя твой любимый! Дмитрий Борисович... Сынок мой... Наследник, — выпалил Боря и сильно выругался.

— Что Митя? — громко спросил Вадим.

— Что, что! Сбежал, — ещё громче крикнул Боря прямо в лицо Вадиму. С мокрых его волос на лицо стекали струйки дождевой воды. — Олину машину увёл. Она, дура ленивая, машину оставляет у задних ворот, в гараж никогда не загонит. Ключи, документы, радиометка — всё там. Он сел, уехал. Хорошо,

Валера услышал. Остальные никто мышей не ловит, да и Валера тоже.

— Не волнуйся, дружище! — взяв Борю за руку, сказал Вадим. — Митя не пьян...

— Да я и не волнуюсь! — коротким движением отстранив руку Вадима, рявкнул Боря. — Я взбешён! Я в бешенстве, понимаешь?! А волноваться зачем? Он далеко не уехал. Машина на спутниковой системе охраны. Уже оператору сообщили, двигатель заглушили, Митьку в машине заблокировали. Сейчас привезут обратно. Пойдём закрывать вечеринку.

— Ты выдохни, до десяти досчитай, — сказал Вадим. — Зачем остальным об этом знать? И так всех напугал. Закрывать вечеринку — так закрывать, только спокойно и весело. Ничего же страшного не случилось.

— Да уж... Ничего страшного... — не разжимая зубы, выдавил из себя Боря. — Ох, я с ним поговорю.

— Только не при всех... Не при мне, — твёрдо сказал Вадим. — И лучше не сразу. Не сегодня.

— Пошли, — бросил Боря и пошёл в дом.

В гостиной было тихо. Все сидели и ждали. Когда Боря с мокрой головой и плечами, а за ним Вадим зашли, на них взволнованно уставились.

— Ложная тревога, — весело оповестил Боря. — Большое хозяйство — большие хлопоты. Белку приняли за волка или что-то в этом роде. В общем, всё хорошо.

— Боренька! Твои охранники распоясались! — сразу сказала Ольгина мама. — Они же ходят и спят на ходу...

— Инна Семёновна, — улыбаясь, но металлическим голосом сказал Боря. — Вам вашу комнату уже приготовили.

— Боренька, я же... — растерялась мама Ольги.

— Доброй ночи, Инна Семёновна, — перебил её Боря ещё более железно. — Ребята, Юлечка, Виктор, простите... Давайте ещё разок напоследок выпьем за нашу Олечку. — Это он сказал уже другим тоном, обращаясь к семейной паре, что ещё осталась за столом.

Те, к кому он обратился, немедленно встали и потянулись за бокалами. Ольгина мама ушла с приподнятым подбородком.

— Ларочка, Ксюша, — сказал Боря жене Вадима и сестре Ольги, — Вадик, давайте выпьем! Вы ещё посидите, а я провожу Виктора и Юлю... Давайте!

Все чокнулись и выпили то, что было налито. Боря выпил полбокала коньяка до дна. Вадиму было налито столько же. Он замешкался, но тоже выпил свой коньяк без остатка.

— Ребята, пойдёмте, я вас провожу, найдём для вас какой-нибудь транспорт, — сказал Боря и пошёл проводить припозднившуюся пару.

Вадим подошёл к жене.

— Моя хорошая, мне ещё надо с Борей переговорить. Ты посиди, подожди, — сказал он как можно заботливее. — Ксения, составьте компанию моей жене, — обратился он к сестре Ольги.

— Да мы отлично поболтаем, — сказала та, наливая шампанского себе и жене Вадима. — Мы очень хорошо тут подружились.

— Куда тебе ещё с Борей разговаривать? О чём? Ты уже хорош, — не без раздражения сказала Вадиму жена. — И Боря тоже хорош, хватит вам, поехали домой.

— Да с чего бы это? — искренне возмутился сильно захмелевший Вадим. — Мы совершенно нормальные! Чего мы выпили-то?

— Делай что хочешь, — махнула рукой жена. — Ты, конечно, трезв как стёклышко...

— Не передёргивай, пожалуйста! — возмутился Вадим.

— Я же сказала: делай что хочешь. Я подожду. Что мне ещё остаётся? — взяв бокал с шампанским со стола, сказала жена Вадима и, повернувшись к сестре Ольги, заулыбалась: — Ксюш, так что там было дальше? Кто в итоге с ней остался?..

Таким образом она дала понять, что говорить с ним не намерена.

Вадим постоял, несколько раз обиженно моргнул и пошёл из гостиной, где со стола стали убирать посуду, а певец с певицей убирали аппаратуру.

Вадим пошёл на веранду, чтобы вдохнуть влажного дождевого воздуха. Но сразу он туда не вышел. Подойдя к двери, он услышал громкие голоса, выглянул в большое окно и увидел Борю и Митю, стоящих близко друг напротив друга. Валера стоял поодаль на ступенях веранды и смотрел куда-то в сторону.

— Папа! Папа! — тряся руками у груди, говорил, а точнее, почти кричал Митя отчаянно. — Мне нужно позвонить! Только позвонить, и всё! Один раз! Видишь, на что ты меня толкаешь.

— Молчи! Молчи! Молчи! Молчи! — орал Боря. — Сейчас мы не будем говорить. Сейчас не о чем говорить! И после того, что ты сегодня сделал... После того, что ты вытворил, я тебя слушать больше не буду. Всё! Достаточно! Ты подчинишься любым моим решениям беспрекословно...

— Папа! Я же не спорю! Только мне надо позвонить...

— Молчи! — коротко крикнул Боря, и его правая рука судорожно поднялась с распахнутой ладонью, Митя зажмурился и отпрянул. — Иди к себе. Иди от греха, — сказал Боря сквозь зубы и опустил руку. — Валера, проводи его, пожалуйста.

— Валера, не надо, — сказал Митя. — Я сам дойду. Папа, ну зачем так-то? Мне нужны-то гроши, мне мелочь нужна. Да, я задолжал. Прости! Глупость сделал... И мне нужен только один звонок...

— Валера! Уведи его! — отвернувшись от сына, громко приказал Боря. — Уведи с глаз...

— Я ухожу! — крикнул Митя. — Ухожу я!

Он быстро подошёл к двери, резко открыл её и шагнул в дом. Вадим стоял в стороне, у окна. Митя встретился с Вадимом глазами, лицо его скривилось, и он бросился бегом вверх по лестнице. Вадим услышал, что Митя зарыдал на бегу. Вслед за Митей по лестнице быстро поднялся и Валера.

Вадим постоял немного и вышел на веранду.

— Вадик, дорогой, ты бы езжал домой, — сказал Боря, увидев Вадима. — Тут, видишь, что творится. Это к разговору о всесилии денег.

— Прости, Боря, я понимаю, что тебе сейчас совсем не до этого, но... Я тебе напоминаю как раз о деньгах...

— Ах да! Извини, дружище! — хлопнув ладонью по лбу, сказал Боря. — Вылетело совсем... Пойдём, я всё тебе приготовил. Только давай ещё выпьем. А то меня аж потряхивает. И чай мы не допили. Пойдём, в самом деле, присядем. Надо выдохнуть... Пойдём ко мне в кабинет.

Они поднялись в большой Борин кабинет весь из тёмного дерева и кожи. В этом кабинете было всё так, как рисуется в воображении кабинет какого-нибудь лорда или барона. Туда принесли коньяк и чай.

— Вот что это за жизнь такая? — ворчал Боря. — Только начал радоваться, даже насладиться радостью не успел, а тут... Давай выпьем просто так. А то сейчас мне не до тостов и формальностей, — сказал Боря, и они выпили. — Пожалуй, хочу сигару... Давно этим уже не балуюсь. Но сейчас хочу. Будешь?

— Если не ядерная, давай, — сказал Вадим. — Тоже давно не дымил.

— Мне так Митьку жалко, — неожиданно нежно сказал Боря. — Но нельзя ему сейчас потакать. Ни в чём, ни на столько. — Боря показал кончик мизинца. — Совсем. Чудовищно себя ощущаю... Жалко его. Не понимаю сына своего... Но сейчас надо просто... Как хирургу. Без жалости. Давай за то, чтобы не ошибиться!

— За это я выпью, — сказал Вадим.

Они выпили. Боря принёс сигары. Вадим выбрал среднюю, не очень толстую и ту, которая выглядела не угрожающе. Боря же взял длинную-длинную. Закурили. Допили содержимое бокалов, налили ещё. Выходили на балкон, курили и пили там. Возвращались, наливали.

Боря включил «Пинк Флойд». Старинный, любимый обоими с юности альбом. Сидели и пили, слушали, смаковали каждый звук и каждую деталь музыки. Что-то вспоминали в связи с каждой песней. Выпивали ещё.

Вдруг в кабинет постучали, и заглянул Валера, сказал, что Митя в своей комнате, но не спит, ходит, свет не гасит. И ещё он сказал, что жена Вадима задремала на диване в гостиной. Ей принесли плед. Боря отпустил Валеру, но распорядился пока не уезжать, а ещё побыть в доме, пока всё не утихнет и Митя не уляжется.

— Завтра и в воскресенье отдохнёшь. Спасибо, иди. Мы ещё посидим, — сказал Боря Валере, тот вышел. — Сколько он у меня работает? — Боря задумался. — Лет двадцать уже. А я никогда не знаю, о чём он думает, как относится к тому, что происходит, кого любит и кого не любит. О, человек! — Боря усмехнулся. — Давай за преданность! Я теперь понимаю, что преданность бывает важнее любви... Раньше я хотел, чтобы меня любили. Вот чтобы Валера любил... А сейчас знаю, что он меня не любит... Он мне предан. И это лучше... Понимаешь?

— Понимаю, — улыбнулся Вадим. — Вот жена моя мной недовольна, но спит там, на диване, ждёт меня и терпит. Преданность — великое дело! Это ты замечательно сказал. За преданность выпью с удовольствием, — весело сказал Вадим, и они выпили. — Но всё же давай, дружище, к делу, а потом ещё выпьем.

— Вадик, тут же дел на одну минуту: дал, взял — и всё. Ты лучше послушай! — Боря сделал музыку громче. Зазвучало знаменитое гитарное соло. — Вот, Вадик, это на все времена! — Боря отпил коньяку, сунул сигару в рот и, щурясь одним глазом от дыма, стал изображать, что играет на гитаре звучащее соло. Изображал неумело, но азартно. Вадим скинул пиджак и стал изображать, что играет на басе, тоже дымя сигарой. — Это и есть, Вадик, то, что меня соединяет с молодостью и жизнью... Это то, чего я не предам! А так теперь не играют, не умеют...

— Боря, мне расписку надо написать! — крикнул Вадик громче музыки, продолжая изображать игру на басе.

— Вадик, какая тебе сейчас расписка, — отмахнулся Боря. — На неделе как-нибудь напишешь, если хочешь. Взял и только музыку обломал!

— Нет, Боря! Обязательно! — сказал Вадим со всей пьяной твёрдостью и положил половину скуренной сигары в пепельницу.

Боря грузно прошёл по комнате, положив подбородок на грудь, сделал тише музыку, нажал какую-то кнопку и попросил позвать Валеру. Борина рубашка выбилась из-под ремня, волосы взъерошились. Боря набрался. Вадим это видел. Но он не видел себя.

— Валера, — сказал Боря появившемуся в дверях Валере, — принеси мой портфель, чёрный. Где он у меня? — после этих слов Валера исчез. — Ох и зануда ты, Вадик! А когда-то такие песни писал! Кто бы мог подумать! Четверть века всего прошла — и на тебе. Расписку человек хочет писать. Бюрократ ты, Вадик.

— Ты же мне сам в прошлый раз все кишки вынул, прежде чем деньги дал. Теперь я учёный, — стараясь говорить весело, сказал Вадим. — И это правильно. Чем лучше расписка — тем крепче дружба.

— Э-э-э! Да ты затаил! Какой же ты злопамятный и обидчивый! Как я тебя терплю — не понимаю... Уже столько лет! — сказал Боря, улыбаясь и наливая коньяк Вадиму и себе.

— Это кто кого терпит ещё, — усмехнулся Вадим. — Тебя попробуй выдержи.

— Я же сущий ангел, Вадя, — сказал Боря, погасил и сломал в пепельнице сигары, свою и ту, что положил туда Вадим. — Не, курение — это зло! Давай выпьем за наше долготерпение.

— Давай! — согласился Вадим.

В то время, когда они пили, появился Валера. Он принёс красивый, твёрдый чёрный портфель матовой кожи.

— Давай его сюда, — сказал Боря, допив и вытерев ладонью губы.

Валера подошёл, отдал Боре портфель и сразу вышел. Боря поставил портфель на стол и с громким щелчком открыл золотую пряжку.

— Стоп! — резко сказал Вадим. — Сначала расписка.

— Вадик, Вадик! — покачал головой Боря. — Да ты серьёзно... Ну как хочешь.

Боря поискал что-то глазами на столе, потом открыл ящик, пьяно паклонился, заглянул в него, открыл другой, достал оттуда несколько листов бумаги, бросил их на стол, а сверху положил ручку.

— Валяй, пиши, — сделав неопределённый жест рукой, сказал Боря. — Можешь хоть в стихах.

Вадим придвинул стул к столу, сел, взял листок, пьяно его зачем-то прогладил ладонью и взял ручку. Он помнил и знал, как надо писать расписку.

— Ручка не пишет, — сказал он, поцарапав ручкой по листу.

— Да? И не удивительно! — хохотнул Боря. — Так и живём. В кабинете чего только нет, а ручка не пишет. И для чего тогда кабинет? — Боря нажал кнопку и сказал кому-то: — Ручку мне принесите, которая пишет... Ох, Вадик, что-то я сегодня устал.

Он рухнул в кресло и вытянул ноги.

— Сейчас, Боря, отдохнёшь, — сказал Вадим. — Я мигом напишу, и мы поедем. Там Лара, бедная, уснула уже.

— Знаешь, Вадик, — почти лёжа в кресле, пьяно моргая, сказал Боря. — А я Митьку обратно в Лондон не отправлю. Хватит! Наигрались в классическое образование. Ты был прав... — Боря задумался на несколько секунд. — Сегодня принял решение, всё узнал, документы соберу быстро, главное — медкомиссия... Но в этом случае деньги решают всё.

— О чём ты, Боря? — спросил туго соображающий Вадим.

— Отправлю Митьку не в Великобританию, а в наши великие доблестные войска, — сказал Боря и печально улыбнулся.

Валера принёс ручку, не обратив на себя внимания, положил её на стол и исчез.

— В армию, что ли, отправишь? Митю? — удивился Вадим. — И готов деньги платить, чтобы взяли? Ты шутишь?!

— Если бы это помогло, сделал бы не задумываясь, — ответил Боря и выпрямился в кресле. — Но это не поможет. Я нашёл другой вариант. Посоветовали... Отдам Митю в военное училище... Столичное училище военных переводчиков. Контора серьёзная и с историей. Учат языки прекрасно. Причём не стандартный набор — английский, немецкий... А разные.

Экзотические. Индийский, в смысле хинди, арабский с диалектами... Санскрит. Понимаешь? — Боря встал, налил себе бокал. — То есть отличное образование плюс военная дисциплина. Там с первого курса казарменное положение, дежурство, увольнения...

Вадим как взял ручку, так и держал её, не начав писать, и слушал, но вдруг не выдержал.

— Боря! Ты серьёзно? — спросил Вадим и бросил ручку на стол. — Ты Митю в казарму?! После Лондона — в нашу казарму?

— Вадик! Да туда, в эту казарму, не попасть! Там конкурс как я не знаю где! Там мальчишки из таких фамилий, что ещё не известно, удастся ли туда Митю затолкать... А главное, там с такими, как Митька, умеют работать.

— С какими такими?! Боря, опомнись! Митя — он не какие-то такие... Это же Митя! Какая ему казарма?! Ты что про это знаешь? Ты! Я-то в армии служил, а ты? Боря! Ты же сейчас про сына говоришь... Про Митю...

Вадим говорил, и у него, что называется, перед глазами стоял Митя, любующийся фейерверком, а в ушах звучали Митины рыдания.

— То есть, по-твоему, пусть Митя едет в Лондон, садится на наркоту и чё-то там мутит, так? — повысив голос, спросил Боря, взял бокал и отпил большой глоток.

— Нет... Не знаю... — ответил Вадим. — Думать надо. Думать! А не кидаться из крайности в крайность. Это же живой человек. А ты его то туда, то сюда... Теперь вот в казарму. Ты говорил ему, я слышал, что теперь слушать его больше не будешь... А когда ты кого слушал? Когда, Боря? Его ты не слушал никогда! Пацану по телефону позвонить надо! Он из-за этого машину угнал — так надо. А ты: «Слушать не буду». А почему бы не послушать?! Убудет у тебя?

— Вадик, Вадик! Остановись! — сжимая в руке бокал, почти крикнул Боря.

— Что Вадик, что Вадик?! — Вадима уже несло. — Ты хотел со мной посоветоваться?! Позвал, мол, пойдём, поговорим, нужен совет! Я же, идиот, послушал тебя, думал, как помочь другу... А ты много со мной посоветовался? Ты же позвал меня, чтобы только рассказать о том, как ты всё гениально выяснил и решил. Вот сейчас зачем ты мне сказал про это училище? Опять советуешься? Хрена! Ты опять сообщаешь о своём гениальном решении.

— Вадик, не забывайся, речь идёт о моём сыне! — перебил его Боря. — О моём, понял?

— Да здесь всё твоё и все! — шагнув ближе к Боре, сказал Вадим, бледнея. — Преданность он любит! — Тут Вадим взял свой бокал и отхлебнул коньяку, будто воды. — Для тебя же людей нет... Не существует... Если ты с сыном... Со своим сыном такие эксперименты устраиваешь, то что про остальных говорить? Про меня?..

— Ты забыл, Вадим! — Боря тоже сделал шаг навстречу Вадиму. — Ты не только о моём сыне говоришь, но и в моём доме! Так что не распускай свой язык...

— А-а-а! Понятно!!! — развёл руками Вадим. — Всем язык в жопу — и молчать, так? Молчать и слушать! Барин говорит!.. Но вот что, Борис! Если ты мне свои деньги даёшь, это не значит, что я стану тебя за это выслушивать и одобрять! Одобрять и выслушивать не стану... Ты мне сам эти деньги предложил! Сам! Я тебя ни о чём не просил... И если бы не крайняя нужда... Хотя что ты понимаешь про нужду? Для тебя же эти деньги, из-за которых я должен тут тебя выслушивать, это же так... Один ужин и один заход в магазин.

— Сейчас я тебя выслушиваю, тебе не кажется? — Лицо Бори пошло пятнами от гнева и выпитого. — Заткнись!

— Это ты сам заткни свои деньги себе в гудок! — сдавленно почти проорал Вадик. — Оркестр, фейерверк устроил, барин наш! А сына довёл до чего?! Каково ему было после побега как под конвоем возвращаться в твой дом?! Ты подумал об этом? Да сюда же возвращаться страшно! Твой дом этот — это не дом... Это...

Боря, слушая, опускал голову и вдруг резко плеснул из бокала Вадиму прямо в глаза. Вадим зажмурился, плеснул из своего в сторону Бори и попал тому на рубашку. Глаза Вадима сильно ожгло. Он закрыл их ладонью.

— Сука... Вот сука... — сквозь зубы прошипел Вадим.

— Брысь! — брезгливо бросил Боря. — Вон из моего дома! Немедленно!

Боря быстро подошёл к двери и распахнул её.

— Валера! — громко крикнул он за дверь. Валера был, видимо, недалеко и появился почти сразу. — Вадим Сергеевич с супругой уходят. Проводи, пожалуйста, — услышал Вадим, протирая глаза ладонью.

— Пойдёмте, Вадим Сергеевич. — Голос Валеры прозвучал спокойно, как всегда.

— Мне бы в туалет, — тихо сказал Вадим.

— Внизу туалет, пойдёмте. — Валера уже вёл Вадима, который продолжал прикрывать глаза ладонью и почти ничего не видел. — Вот-вот, здесь лестница. Осторожнее, ступени.

— Проводи их! — крикнул Боря в спину Вадиму и Валере на весь дом. — И убедись, что ноги его нет в этом доме или рядом... Спокойной ночи!

Вадим услышал удаляющиеся Борины шаги и где-то в глубинах дома хлопнувшую дверь.

— Вот уборная. Помочь? — сказал Валера, спустившись с Вадимом по лестнице.

— Спасибо, справлюсь, — сказал Вадим.

Он стоял у умывальника и промывал глаза холодной водой. Голова сильно кружилась. Он вдруг ощутил себя сокрушительно пьяным, оскорблённым и страшно несчастным. А главное — ужасно, чудовищно, испепеляюще злым. Его душил гнев. Его распирало от лютого гнева.

— Боря, сука... Боря... — бормотал Вадим.

Он промыл глаза, вытерся и глянул в зеркало. Там он увидел красноглазое, пьяное, перекошенное гневом и обидой лицо. Ему хотелось догнать, найти Борю и унизить, ударить, оскорбить. Жестоко!

Он несколько секунд смотрел в зеркало, потом вышел из туалета. Валера ждал за дверью.

— Валера, не в службу, а в дружбу, — сказал Вадим как можно твёрже и трезвее. — Посмотри, как там наше такси. Водитель уснул наверняка, разбуди, пожалуйста. Помоги, возможно, в последний раз. А я пока жену разбужу.

— Сделаю, Вадим Сергеевич, — сказал Валера и ушёл выполнять просьбу.

Вадим шагнул в сторону гостиной к жене, но вдруг понял, что на нём нет пиджака. Он задумался на мгновение и вспомнил, что скинул пиджак в кабинете, когда изображал игру на басе под «Пинк Флойд».

Вадим тут же развернулся, быстро дошёл до лестницы и, как ему показалось, вспорхнул по ней. Дверь в кабинет была приоткрыта, там горел свет и было тихо. Вадим сразу зашёл туда.

Пиджак его был брошен на спинку стула возле стола. Вадим с ненавистью смотрел на всё в этом кабинете. Он ненавидел в нём всё. Особенно хозяина.

Вадим подбежал к столу, схватил пиджак со стула, но неловким движением руки задел и уронил на пол чёрный портфель, который стоял на самом краю стола. Портфель шумно упал. Вадим злобно выругался и нагнулся за ним. Всё происходило очень быстро.

Он нагнулся, взял портфель за бок, но тот не был закрыт и распахнулся. Из него выпали несколько тонких папок, какие-то ключи и пачка знакомых красноватых купюр — пятьдесят тысяч евро.

У Вадима от гнева в глазах всё пошло кругом. Вспомнился Умар Магомедович, вспомнилось всё, что Вадима ждёт уже в понедельник, вспомнился брезгливый голос Бори: «Брысь! Вон, я сказал!»

Вадим правой рукой взял пачку, оглянулся на дверь и быстро сунул деньги в карман, следом собрал выпавшее из портфеля обратно, поставил портфель на место, надел пиджак и выскользнул из кабинета.

Он вышел из кабинета и стал спускаться по лестнице, голова кружилась.

— Дядя Вадим, — вдруг услышал он сзади громкий шёпот, — что был за шум? Отец ругался, я слышал.

Вадим оглянулся и увидел Митю, стоящего в глубине коридора у открытой двери своей комнаты.

— Митя, всё нормально! — сказал Вадим тоже громким шёпотом. — Мы с твоим отцом повздорили, как мы это умеем. А я пиджак забыл в кабинете. Вот забрал. Ты почему не спишь?

— Уснёшь тут, — горько усмехнулся Митя.

— Давай, пока, Митя, — сказал Вадим и поднял руку, прощаясь. — Не переживай.

— До свидания... Спасибо вам! — сказал Митя.

Вадим поспешил вниз. Митя проводил его взглядом.

Валера вернулся со двора, когда Вадим уже разбудил крепко спящую, укрытую пледом жену. Она морщилась спросонья, попросила пить. Валера принёс воды.

— Таксист вас ждёт, — сказал Валера. — Еле-еле разбудил. О, у человека нервы и совесть чисты!

Вадим под руку с женой покидал Борин дом, даже не понимая, что с ним происходит. Дождь закончился. В воздухе становилось туманно.

В субботу Вадим проснулся за полдень. Дома звучала музыка. Катя музицировала. Вадим полежал, послушал. Голова была тяжёлая, большая и лежала на подушке неудобно, однако музыка не раздражала. Катя определённо играла в своё удовольствие, а не разучивала урок, не отрабатывала что-то к экзамену. Вадим полежал, не шевелясь, и послушал немного.

Дверь в спальню отворилась, музыка зазвучала слышнее. Вадим повернул голову к двери.

— Проснулся? — сказала жена, коротко глянув на него. — Как самочувствие?

Она прошла к окну, отдёрнула шторы, стало светло, но не ярко. Комнату осветило пасмурным летним светом, матовым и приятным.

— Самочувствие? — хрипло спросил Вадим. — Так... Нормальное... Бывало хуже.

— Рада за тебя, — открывая окно, сказала жена. — А то надышал... И храпел... — Она усмехнулась. — Всегда удивляюсь, как от таких дорогих напитков в таких красивых бутылках получается такой вульгарный выхлоп.

— Я думаю, этому все удивляются, — садясь на постели и покряхтывая, сказал Вадим. — Я до сих пор этому не перестаю удивляться.

— Завтракать будешь? Или сразу обедать? — спросила жена, подойдя к кровати. Она вязла бутылку воды, стоявшую на столике с её стороны, налила в стакан, стоявший там же, и подала Вадиму. — А ещё надо бы съездить в магазин. Вместе. Дома шаром покати. Нужно купить всего.

Вадим принял стакан и выпил воду в три глотка, с удовольствием и благодарностью.

— Как же мне с тобой повезло в жизни! — искренне сказал Вадим, выдохнув после жадно выпитой воды.

— Можно, я ничего не буду говорить про своё везение или невезение? — отходя, сказала жена. — Так завтракать или сразу обедать? Таких чудес, какие были у Бори на столе, я тебе не обещаю, но вот съездим в магазин, что-нибудь попробую изобразить... Мне даже интересно. Кстати, эта Ксюша, Олина сестра, оказалась очень милым, неиспорченным человеком. У неё дочка, Катина ровесница, играет в волейбол серьёзно... А Ксюша одинокая, весёлая, несчастная... Всё как надо...

Последние слова Вадим уже не слушал. С упоминанием Бори и вчерашнего на Вадима рухнули воспоминания. Он резко глянул в одну сторону, в другую, нашёл глазами скомканные свои брюки, как-то снятые перед сном и брошенные на стул, да так и уставился на них. Он силился вспомнить и понять, в реальности ли было то, что он сделал ночью, и есть ли в правом кармане брюк то, о чём он подумал.

Он не слышал, что именно ему говорила жена, не понимал слов. У него вспышками возникали детали и эпизоды прошедшей ночи. Если бы не присутствие жены, он бы схватился за голову и взвыл или застонал. А она что-то говорила ему. Он не понимал. Но когда он услышал вопрос, точнее, разобрал вопросительную интонацию, то кивнул.

— Да, — кивнув, сказал Вадим.

— Что — да? Завтрак или обед? — переспросила жена.

— Завтрак, — сказал Вадим.

— Приходи на кухню, — сказала жена и вышла.

Вадим тут же соскочил с кровати, бросился к брюкам, схватил их и сразу ощутил вес и твёрдый объём пачки денег. Он опустился на колени и тихо застонал. Потом огляделся, нашёл на столе свои часы, глянул на них, увидел, что уже около часа дня и, ни секунды не раздумывая, взял телефон.

Спеша, будто время шло на секунды, Вадим судорожно и без всяких сомнений набрал номер Бори. Он с силой прижал трубку к уху и замер. Зависла невыносимая пауза, а потом безучастный голос сообщил, что абонент временно недоступен. Вадим тут же набрал номер снова и опять замер. Результат был тот же.

— Ничего, ничего! — бормотал Вадим. — Чепуха! Были пьяные. Это просто глупость.

Он быстро-быстро обдумывал, что нужно, а главное — что можно сделать в сложившейся ситуации. Если бы он знал другие номера, по которым можно связаться с Борей, он бы их уже набирал. Но у него был только один, личный, Борин контакт. И этот контакт был отключён. Номера бесчисленных секретарей, помощников секретарей и помощников помощников, которые ему звонили по Бориным поручениям, Вадим не запоминал и не фиксировал. Это было бесполезно.

Вдруг Вадим вспомнил, что у него должен быть номер Бориной помощницы Насти, которая работала с ним несколько лет. Вадим стал просматривать телефонную книгу. Он торопился, нервничал и заклинал удачу. На имя «Настя» ничего подходящего не нашлось. На букву «Н» в целом тоже. Вадим нашёл то, что искал, только на «Боря секретарь». И хоть Вадим сомневался в том, что это именно та помощница, которую он знал, сомневался, работает ли она до сих пор, он набрал найденный номер.

— Вадим Сергеевич, здравствуйте, — услышал он женский голос.

— Настя? — спросил он.

— Да, в чём дело?

— Настя! Мне очень нужно, точнее, необходимо поговорить с Борисом Юрьевичем. Это срочно!

— Что вы хотите, чтобы я сделала? Вам нужен его личный номер?

— Он у меня есть, но в данный момент он недоступен. Может быть, есть другой, которого я не знаю? Другая линия связи? Поверьте, Настя! Это... Это очень важно.

— Сегодня суббота, Вадим Сергеевич. Боюсь, я вам ничем не могу помочь.

— А если позвонить водителю?

— Сегодня суббота, — прозвучало спокойно, но твёрдо. — Если Борис Юрьевич со мной свяжется, что ему передать?

— Ничего не передавайте.

— Сказать ему, чтобы он вам позвонил?

Вадим задумался, попробовал представить себе такую возможность и отмёл её.

— Нет, пожалуйста, не надо, — ответил он.

— Передать ему, что вы звонили?

— Этого тоже не надо. Совсем не надо ему ничего говорить. Извините за беспокойство! Спасибо, Настя!

— Не за что. Всего доброго. — И Настя отключилась.

Вадим сразу подумал, что хорошо было бы позвонить Валере, потому что он обычно рядом с Борей. Но Вадим не записывал его номер никогда. Звонить снова Насте и просить номер Валеры — это чёрт знает что. К тому же Вадим вспомнил, что Боря отпустил Валеру на субботу и воскресенье, отдыхать.

Всё это Вадим обдумал чрезвычайно быстро и решил просто ждать возможности созвониться с Борей. В конце концов тот должен включить телефон. Вадиму ничего не оставалось, кроме как ждать. В том, что он должен как можно скорее поговорить с Борей, объясниться и отдать эти злополучные деньги, Вадим не сомневался ни секунды. Он не ждал понимания и прощения, но попросить прощения жаждал. Ему необходимо было сказать, что он не понимает, как такое могло случиться.

Вадим свернул брюки и убрал подальше в шкаф, туда, где находилась только его одежда. К деньгам он даже не смог прикоснуться.

Вадим брился, мылся, одевался и всё время держал телефон при себе. Он завтракал рассеянно, а сам, как некое устройство, ожидал некоего сигнала, сообщения, чего угодно. Он не думал, что Боря перезвонит. Он не знал, чего ждёт. Он просто не понимал, что ему делать и как исправить то глупое, гадкое и ужасное, что он совершил.

После завтрака Вадим ушёл в спальню и снова набрал телефон Бори. Пауза — безучастный ответ оператора.

Он ездил с женой в большой магазин, долго толкал тележку с продуктами, ходил за женой по пятам. Он кивал, соглашался или, наоборот, отрицательно мотал головой, когда она его спрашивала о каких-то продуктах, брать или не брать, а сам всё думал о своём и ждал. В какой-то момент он отошёл в сторону, туда, где потише, и снова набрал Борю. Боря был недоступен. Вадим набирал Борю весь день, каждые сорок-пятьдесят минут. Всё безрезультатно.

После семи вечера он подумал — не поехать ли к Боре домой. Он так подумал и совсем было собрался. Но представил себе ситуацию, что Бори дома нет. И что тогда? Передать деньги с запиской? Кому? Мальчику-охраннику? Что писать в этой записке? У Вадима не было ответов на эти вопросы. Он отказался от этой идеи.

Последний раз в субботу Вадим набрал Борю в 23.00. Борин номер был выключен. Позже звонить было неприлично. Какое-то время Вадим обдумывал текст сообщения, которое хотел послать Боре. Думал даже написать целое письмо. Но в итоге решил и этого не делать. Ему необходимо было говорить с Борей лично.

Ближе к полуночи Вадим принял снотворное, но ещё долго не мог уснуть.

Для воскресенья он проснулся рано, около десяти. Смотрел и слушал какую-то программу, какие-то мелкие новости, какие обычно бывают по воскресеньям. Смотрел, слушал, не вникал. Все остальные дома ещё спали. Он же не находил себе места. Пил чай.

Потом проснулась и встала жена. Она была удивлена тем, что Вадим поднялся раньше её. Пили чай вместе. Он ждал одиннадцати утра, когда прилично будет совершить попытку дозвониться до Бори. Проснулись дочки, дома стало шумно. Вадим ёрзал и ждал.

В 11.05 он набрал Борю. Номер был недоступен. Вадим отбросил телефон в кресло и задумался, тяжело и мрачно.

Он понимал, что время для объяснений и для опережения ситуации уходит, если не ушло. Пропажа денег уже, скорее всего, обнаружена. Хотя, оставалась надежда на то, что в субботу Боре может не понадобиться его портфель и рабочий кабинет. Эта надежда была маленькая, а в воскресенье она ещё уменьшилась, но всё же продолжала теплиться.

То, что Боря отключил телефон, Вадим старался себе никак не объяснять. «Мало ли. Выходные. Имеет право. Если бы телефон был включён, а Боря не отвечал на звонки, это было бы много хуже», — рассуждал Вадим.

А о том, что пропажа денег обнаружена и какие из этого Боря сделает выводы, Вадим боялся даже думать. Но самые отвратительные предположения так и лезли в голову.

К обеду он решил успокоиться, но не смог. Единственное серьёзное утешение он себе выдумал и пытался на него опереться. Он рассудил, что Боря, как бесспорно умный человек, сможет понять его дикий поступок, потому что знает, в каком трудном положении Вадим оказался, и вспомнит, что сам не хотел брать с Вадима расписку, предлагая взять деньги без формальностей. Да и что там, пьяные были оба. Сильно.

Вадим думал об этом, убеждал себя, но успокоиться не мог.

После обеда жена неожиданно предложила сходить всем вместе в кино. Вадим с радостью согласился. Он хотел хоть как-то отвлечься, отбросить на время тот стыд и мрак, в котором жил второй день подряд. Кино было отличной идеей.

Подходящий фильм и сеанс нашлись. До начала ели мороженое. Фильм всем понравился. Вадим с удовольствием смотрел даже не на экран, а на дочерей. Они радовались то в разных местах, то вместе. В какие-то моменты хохотали всей семьёй. Около получаса Вадим сладко подремал под конец. После кино гуляли, ели.

К вечеру Вадим пару раз набрал Борю — без особой надежды. Номер был недоступен. Воскресенье прошло само собой. Вадима, к счастью, никто весь день не дёргал, не звонил, не беспокоил.

В понедельник на одиннадцать утра у Вадима была назначена встреча с бухгалтером, директором клуба и другими. Он должен был выдать деньги на начало действий по спасению клуба и введению его в строй. Однако вечером в воскресенье Вадим понимал, что об этом и речи быть не может. Те деньги, что лежали в шкафу, в кармане брюк, не могли браться в расчёт.

Вадим устал переживать, решил встречу не отменять и никого не предупреждать заранее. Он, наоборот, решил, что с утра поедет в офис к Боре, будет ждать встречи сколько понадобится, а его сотрудники пусть ждут тоже сколько понадобится.

Вадим не мог предположить, насколько несостоятельны окажутся его планы, поэтому уснул скоро и крепко, как человек, утомлённый собой до предела.

В 8.15 утра в понедельник его разбудил звонок. Для Вадима это было рано. В той сфере деятельности, которой он занимался, и среди его коллег звонок в такой час был редок и тревожен. Для его жены тоже. Да ещё летом. Вадим не сразу понял сквозь сон, что это требует ответа сигнал его телефона. Он удивлённо схватил его спросонья, увидел, что звонят с незнакомого номера, но не раздумывая ответил. Через пару секунд сон его улетучился совершенно.

— Здравствуйте, Вадим Сергеевич, — услышал Вадим молодой мужской голос. — Меня зовут Кирилл, я помощник Бориса Юрьевича. У меня поручение...

— Здравствуйте, — моментально проснувшись, сказал Вадим. Он сразу выскочил из постели и поспешил из спальни в гостиную, чтобы говорить не при жене. — Я вас внимательно слушаю.

— У меня поручение от Бориса Юрьевича. Куда я могу к вам заехать?

— Сейчас? — растерялся Вадим.

— Да, если это удобно.

— Что-то срочное? — Вадим заволновался.

— Не знаю, Вадим Сергеевич, мне просто приказано выполнить это срочно. Борис Юрьевич так распорядился. Вам сейчас неудобно?

— Да нет, вполне удобно. Только я не понимаю... — Вадим растерянно задумался. — А вам удобно заехать ко мне домой, если ваше поручение срочное?

— Конечно. Уточните адрес, пожалуйста.

Вадим назвал адрес.

— А Борис теперь где? Как его можно увидеть? — спросил Вадим, несколько опомнившись.

— Этого я не знаю, простите. Подъеду минут через тридцать-сорок. Не поздно?

— Нормально. Жду вас.

Вадим ничего не мог понять. У него не возникло ни одного предположения, что за поручение дал

Боря некоему Кириллу, который ехал к нему сейчас. В одном Вадим не сомневался — это как-то было связано со взятыми им деньгами. Вадим весь внутренне напрягся и собрался. Он быстро умылся, побрился, оделся, попросил ещё дремлющую жену никак не мешать и не показываться, когда к нему придут.

Приблизительно через сорок минут прибыл молодой человек в белой рубашке с коротким рукавом, в чёрных наглаженных брюках, при галстуке и с портфелем. Он был вежлив, но неулыбчив. Было видно, что он относится к данному ему поручению как к важнейшей миссии. Вадим предложил ему пройти в квартиру, не разуваясь. Кирилл согласился. От кофе же он отказался решительно.

Молодой человек прошёл к столу, достал из портфеля несколько чистых листов бумаги, ручку и увесистый незапечатанный конверт.

— Борис Юрьевич поручил передать вам слова извинений... Также он передал вам... Вот, — при этом Кирилл указал на конверт, — пятьдесят тысяч евро. Он поручил мне взять с вас расписку. Он сообщил... — Кирилл замялся, достал из кармана брюк блокнотик, заглянул в него, что-то прочитал и продолжил: — Он сообщил, что вы знаете, в какой форме её надо написать и какие указать условия.

Удивление Вадима было таково, что он не сразу смог что-то сказать.

— Вот бумага, ручка, — после небольшой повисшей паузы сказал Кирилл.

— Да-да, спасибо, — озадаченно сказал Вадим, машинально сел за стол и взял ручку.

Он понимал только одно. И понимал внятно. Пропажа денег обнаружена, но на него Боря не подумал. Наоборот, Боря винит себя в том, что не дал обещанного. Вот что Вадим понимал. Но он совершенно не понимал, как к этому отнестись.

Ещё Вадим сообразил, что если Боря не связал пропажу денег с ним, значит, он обвинил кого-то другого или кто-то будет обвинён.

— Знаете что, Кирилл, — вдруг резко встав из-за стола, сказал Вадим. — Мы сейчас сделаем так... Мы сейчас поедем в офис к Борису Юрьевичу, и там вы мне всё передадите, если понадобится. Там же и напишу расписку.

Кирилл растерялся:

— Я не знаю, на месте ли Борис Юрьевич. Он мне поручил...

— Кирилл, вы не волнуйтесь, — почти ласково сказал Вадим. — То, что вам поручено, вы вполне выполнили. Так что — поехали. Вы же на машине? Вот только подождите минутку.

Вадим был одет к встрече утреннего гостя вполне по-домашнему: джинсы, рубашка. Но решил не переодеваться. Он только быстро зашёл в спальню, открыл свой шкаф, взял те самые брюки, не без содрогания достал из них деньги и подумал, куда бы их сунуть. Карманы джинсов были малы для такой увесистой пачки. Через пару секунд он снял с плечиков лёгкий, широкий летний пиджак, сунул деньги в его глубокий боковой карман и, держа пиджак в руке, сказал жене, что уходит, но вскоре позвонит.

Кирилл вёл маленькую свою машину неуверенно, робко и аккуратно. В машине тоже всё было аккуратно. Вадим даже подумал о том, где Боря берёт таких молодых людей. Сам Вадим таким никогда не был, и такие ему не попадались.

Ещё когда подъезжали к Бориному офису, Вадим увидел Борин автомобиль, стоящий прямо перед входом. Он обрадовался — Боря на месте. И заволновался — предстояла встреча.

Вадим подошёл к машине Бори, чтобы поздороваться с Валерой. Он видел, ещё подъезжая, что водитель сидит на месте. Окна были опущены. Но за рулём оказался не Валера. Это было необычно, удивительно, странно. Лицо парня за рулём показалось Вадиму знакомым. Должно быть, видел его у Бори дома или среди других его водителей.

— Здравствуйте, — сказал Вадим,

— Здравствуйте, — улыбаясь, ответил водитель. — Меня зовут Виталий. А вас я узнал, — дружелюбно представился парень за рулём.

— Очень приятно. А где Валера? Я хотел с ним поздороваться.

— Не знаю, — пожал плечами водитель. — Сам удивляюсь. Я Бориса Юрьевича раньше никогда не возил. А вот сегодня рано подняли, сказали подготовить машину. Вы же друг Бориса Юрьевича?

— Да, мы друзья, — ответил Вадим озадаченно.

— Я вас узнал, — ещё шире и радостнее улыбнулся парень.

— А с Валерой всё в порядке?

— Я не знаю. Сегодня я Валерия Павловича не видел.

— А он Павлович? — удивлённо спросил Вадим, впервые услышав, что у Валеры есть отчество.

— Да. Мы его Палыч зовём...

В приёмную Вадим вошёл вместе с Кириллом. Он давно не был у Бори на работе. Несколько лет. В приёмной ничего не изменилось. Разве что немного изменилась сидящая на прежнем месте Настя и поменялась девочка, которая сидела у окна, — раньше была другая.

— Доброе утро, — входя, сказал Вадим. С ним поздоровались. — Настя, Борис занят в данный момент? Мне буквально минуту-две, не больше.

— Вадим Сергеевич, он всегда занят, — ответила Настя.

— Сообщи, пожалуйста, что я пришёл, — сказал Вадим с улыбкой.

— У него люди, иностранные партнёры...

— Просто сообщи, что я здесь... Пожалуйста, — твёрдо повторил Вадим, продолжая улыбаться.

Настя подумала несколько секунд и сняла трубку внутренней связи.

— Борис Юрьевич, к вам Вадим Сергеевич, — сказала она, глядя на Вадима, и положила трубку.

— Спасибо, Настя!

Вадим накинул на себя пиджак, который до этого держал в руке. Он подумал попросить кофе или взять что-то почитать, он даже быстро огляделся в поисках места, где бы присесть и подождать. Но вдруг дверь Бориного кабинета распахнулась, и из неё торопливо вышел Боря. Он буквально налетел на Вадима.

Боря был гладко выбрит, тщательно причёсан, одет был в безупречно сидящий изумительно синий пиджак и тёмные мягкие брюки. Лицо Бори показалось Вадиму с пятницы осунувшимся, а глаза были усталые.

— Пойдём выйдем в коридор, — вместо приветствия резко сказал Боря и, не дождавшись ответа, пошёл туда, куда позвал Вадима.

Вадим последовал за ним. Боря вышел из приёмной, повернул направо, прошёл пару шагов и остановился.

— У меня совсем нет времени, — быстро и очень чётко сказал Боря. — Извини, что так всё вышло. Если ты это хотел услышать, то вот услышал. Ещё раз извини!

— Это ты меня извини, пожалуйста... — начал Вадим.

— Погоди, Вадим... Погоди! — сказал Боря холодно и ясно. — Давай так... Давай какое-то время... Долгое. Совсем не будем общаться. Никак и нисколько. А то... Это совсем ни на что не похоже. Не знаю, как тебе, но мне это, чёрт возьми, не нужно. Совсем! Давай так... Ни звонков, ни встреч, ничего! Если что — есть Настя. Этого достаточно.

Вадим совершенно растерялся.

— Ты хотел написать расписку, — не дождавшись ни вопроса, ни высказывания, продолжал Боря. — Написал?

— Нет ещё, — ответил Вадим.

— Тогда напиши здесь, если хочешь, — не поменяв интонации, сказал Боря. — Деньги вернёшь — заберёшь расписку. Давай так. А то я от тебя... Вот честно скажу, устал... Не хочу... Нужна пауза. Пауза, понимаешь. Ты умный человек, я знаю, ты поймёшь. А время... Время покажет. Давай, Вадим. Давай! Всё, я пошёл. Меня ждут, да и хватит уже.

Боря говорил так, что его невозможно было перебить.

— Боря, — сказал Вадим, — я понимаю. Правда! Но мне надо тебе сказать, обязательно...

— Нет! — сдавленно-ледяным голосом остановил Вадима Боря. — Не обязательно! Понимаешь, не обязательно, Вадик! У меня сложная жизнь. У меня здесь всё сложно, а дома ещё сложнее, так что мне не обязательно тебя слушать... Удачи тебе! Этого я тебе искренне желаю. Пока! — И Боря направился ко входу в свою приёмную.

— Боря! — окликнул его Вадим.

— Да что ж ещё?! — раздражённо сказал Боря, остановился и оглянулся.

— Спасибо! — сказал Вадим... — И тебе удачи...

— Хорошо, — быстро ответил Боря и почти повернулся, чтобы уходить.

— Слушай, а где Валера? — неожиданно для самого себя спросил вдруг Вадим. — Хотел его увидеть...

— Не увидишь! — резко сказал Боря.

— Что так?

— Всё, хватит! И его тоже достаточно! — ответил Боря, вдруг потеряв свою холодную интонацию. — У меня эта лакейская гордость — во где уже!.. Понимаешь, о чём я? — Боря остро посмотрел Вадиму прямо в глаза: — Помнишь, я о преданности говорил? Так вот, преданность, оказывается, может с годами перерождаться... Например, в покровительство или в какую другую мерзость. А мне советы не нужны. Тем более от лакеев. Ну вот, Вадик! Опять ты меня вывел из себя! — Боря мотнул головой и усмехнулся: — Запомни, Вадим: никого не приближай к себе слишком близко. Никого. Или пеняй только на себя... Всё! Пока... — Боря сделал шаг в сторону приёмной, но снова остановился и оглянулся: — А Валеру, к слову, я пристрою. Без работы не останется. Если тебе нужен отличный водитель, который ещё и даёт советы, — бери. Но ему нужно много платить. Он привык, — сказал Боря и быстро ушёл.

Вадим постоял в коридоре. Он не знал, что делать дальше, совсем не знал. В этом незнании он медленно зашёл в приёмную, попросил лист бумаги, ручку, сел и аккуратно написал расписку на пятьдесят тысяч евро с обязательством вернуть через год. Вадим отдал расписку Насте, поблагодарил, со всеми попрощался и пошёл к выходу.

— Простите, — услышал он голос Кирилла. — А деньги?

Из Бориного офиса Вадим поехал на встречу со своими сотрудниками. Ехал в такси, совершенно запутавшийся в собственных мыслях, предположениях и сомнениях.

Бухгалтер, директор клуба и ещё несколько человек его поджидали. Он без долгих слов и рассуждений выдал бухгалтеру требуемую сумму для начала работы, попросил поменять валюту по самому хорошему курсу и приступить вместе с директором к немедленным неотложным действиям. Ещё он попросил в ближайший день без особой нужды его не беспокоить.

После этого короткого рабочего собрания Вадим сильно захотел кофе и побыть один. Он дошёл до знакомого кафе и сел под зонтик на открытом воздухе в маленьком сквере. Погода выдалась беспокойная. То выглядывало солнце, и сразу становилось ярко и знойно, то плотное облако закрывало светило, и казалось, что вот-вот подует неуютный ветер и пойдёт дождь.

Вадиму принесли большую чашку кофе и стакан воды. В кафе под зонтиками больше никого не было. Лето, понедельник, предобеденное время. Вадим смотрел на дерево, которое под яркими лучами солнца становилось светлым и даже не зелёным, а скорее салатовым. Свежие, ещё не загрубевшие листья трепетали и, казалось, светились. А как только тень облака накрывала сквер, дерево становилось практически серым и контрастным.

Вадим пил кофе, не чувствуя вкуса. Он старался всё спокойно обдумать. Из короткого разговора с Борей он понял, что тот уволил, прогнал, отстранил Валеру. Это как-то должно быть связано с пропажей денег. Но Боря, похоже, Валеру в краже не обвиняет и не подозревает. Значит, что-то произошло такое, в чём Валера виноват сам, и тут Вадим уже ничего исправить не может и помочь Валере тоже. Это было понятно.

Вадим жестоко пожалел, что не сделал так, как хотел сделать в субботу вечером. Надо было, конечно, поехать к Боре домой и отдать деньги лично или просто оставить, с запиской. Если бы он это сделал, всё было бы уже позади.

— Деньги! — опомнившись, сам себе очень тихо сказал Вадим.

Он вдруг отчётливо и особенно сильно ощутил вес и габариты пачки, взятой ночью в Борином доме. Эта пачка лежала в правом боковом кармане пиджака. Деньги буквально давили на бедро.

«И что ты собираешься с ними делать? — безмолвно спросил себя Вадим. — Ты что, собрался ими воспользоваться? Ты с ума сошёл? А?! Ты что удумал? Ты что рассудил, мол, Боря на тебя не подумал?.. Никто на тебя не подумает? И что? Можно прибрать? Прибрать и решить проблемы? Так ты рассудил? Мол, для Бори-то это не деньги, это — мелочь для него. Ну признайся, ты так рассуждаешь?.. А если нет, то какого ты тут сидишь? Как ты жить с этим сможешь?.. Ты! Романтик...»

И Вадим тихо, но всё же вслух, длинно выругался.

Он большим глотком допил кофе, выпил воду и достал из левого кармана конверт, который получил в Борином офисе от Кирилла и за который написал расписку. Он вынул из него оставшиеся деньги, часть которых отдал бухгалтеру. Это были такие же купюры, как в правом кармане. Но Вадим не хотел их ни смешивать, ни путать.

Он сунул деньги обратно в карман, а пустой конверт положил на стол, посидел так минуту, подозвал официанта и попросил у него ручку и лист бумаги. Дождавшись, когда бумагу и ручку принесут, Вадим придвинул стул плотнее к столу, взял конверт и вывел на нём аккуратными, какими-то невзрослыми буквами: «Борису Юрьевичу от Вадима Туманова лично в руки». После этого он подтянул к себе листок, задумался, а потом быстро написал:

«Борис! Я совершил непростительную глупость и, — на этом месте Вадим задумался, а дальше уже писал не отрываясь, — гнусность. Это я взял деньги из твоего портфеля в ночь на субботу. Сделал это из-за обиды и гнева. Тут нечего понимать. Сам не понимаю, как такое смог совершить. — Вадим зачеркнул слово «совершить», написал «вытворить» и продолжил: — Мне невыносимо стыдно ещё за то, что смалодушничал, струсил и не смог сознаться и вернуть взятое сразу. Поступай со мной как посчитаешь нужным. Главное, чтобы никто не был безвинно обвинён и не пострадал. Взятое в долг верну в срок, можешь об этом не думать и вообще забыть, кто я такой. Прости, если можешь.

Вадим».

Вадим дописал, дважды перечитал написанное, поставил в одном месте запятую и подправил несколько букв. Потом сложил лист, вложил его в конверт, опустил руку с конвертом под стол, достал из правого кармана деньги и, чтобы никто не видел, под столом сунул деньги в конверт.

Он расплатился за кофе, воду и вызвал такси. Вадим решил безотлагательно, немедленно поехать в офис к Боре и, там он или нет, просто оставить конверт Насте. Оставить без просьб передать срочно или передать, когда будет один. Просто: зашёл, оставил, ушёл. И всё.

— И можно будет наконец выдохнуть, — сам себе сказал Вадим.

Пока он ехал в такси, ему стало почти легко. Даже почти весело.

«Боря умный человек, Боря умный...» — повторялось и повторялось в мыслях у Вадима само собой.

Когда такси с Вадимом поворачивало в переулок, в котором сразу за поворотом находился офис Бори, Вадим увидел, как Борина машина вывернула от входа в здание, потом вырулила в переулок и, с дымом из-под колёс, набирая страшное ускорение, умчалась, притормозила перед перекрёстком и рванула дальше.

— Ого! — сказал таксисту Вадим. — Куда-то спешат.

— С таким движком и с такими номерами можно спешить, — усмехнулся таксист, принимая от Вадима деньги.

Вадим даже обрадовался, что Боря уехал. Он, конечно, настроился решительно, но встретиться с Борей в дверях, в лифте или коридоре не хотел.

Выйдя из такси, Вадим достал из кармана конверт и широко зашагал ко входу в офисное здание. Он держал этот конверт, как бы уже с ним расставшись, как бы отстранившись от него. Оставалась мелочь — отдать его, и всё.

У самого входа, перед стеклянной дверью стоял тот самый парень, Виталий, что сидел утром за рулём Бориной машины. Парень выглядел растерянным, бледным. Никуда определённо не глядя, он моргал и курил, глубоко затягиваясь.

— Виталий! — приветствовал его Вадим. — Что это вы тут стоите? У вас что, машину угнали? Я видел, как она уехала. Что ж это — она там, а вы тут?

— Борис Юрьевич сам за руль сел... И уехал, — совершенно обескураженно сказал Виталий.

— Что ж так? Почему? — удивился и насторожился Вадим.

— Ведь вы друг Бориса Юрьевича? — снова спросил, хлопая глазами, Виталий. — Я вас видел у нас... дома... У Бориса Юрьевича в гостях. Я вас правильно узнал?

— Да-да, правильно, — быстро ответил Вадим.

— Из дома позвонили... Из гаража, ребята... Другие водители Бориса Юрьевича... Вы же друг... Вам же можно сказать? — Виталий затянулся сигаретой, рука его слегка, но заметно подрагивала.

— Можно! Мне можно! — шагнув ближе, нетерпеливо сказал Вадим.

— Там, дома, Дмитрий Борисович... Митя... Он повесился.

— Как повесился?! — беспомощно выдохнул Вадим.

— Насмерть, — ответил Виталий, казалось, удивляясь тому, что говорит.

Вадим покачнулся, сделал пару шагов в сторону, побоялся упасть и опёрся о колонну справа от входа. Но прежде быстро и судорожно спрятал конверт в карман пиджака.

Ангина

Рассказ

«Я, да будет вам известно, Фукакуса, смиренный житель столицы». Такими словами начиналась то ли повесть, то ли новелла, то ли рассказ. Он потом не мог вспомнить ни имени автора, ни названия того, что прочёл. Какое-то явно японское слово находилось в начале страницы, а дальше шла сама то ли повесть, то ли новелла. Возможно, это слово было именем автора, а может, названием произведения. Он не понял, а потому и не запомнил. Японцы, что с них взять?! У них что имена, что фамилии, что названия — не разберёшь.

В тот раз он не заметил, как болезнь подкралась, проскользнула в его организм и на какое-то время воцарилась в нём, изменив все ощущения, всю систему восприятия мира и собственной жизни. Обычно он был бдителен, внимательно прислушивался к себе и улавливал самые первые признаки любой простуды или другой хвори. Улавливал и наносил упреждающий удар при помощи проверенных и надёжных средств. Он верил в таблетки, микстуры и указания врачей, и они ему помогали. А вот болеть он не любил и не умел.

Ему трудно давалось осознание присутствия в организме какого-то гадкого вируса. Он с детства помнил страшные рисунки, изображавшие болезнетворных микробов или вирус гриппа, а также кадры из научно-популярных передач, где фигурировали снятые при помощи микроскопа вирусы, представлявшие собой палочки, кругляшки или овалы. Болезнетворные палочки, кругляшки и овалы были подвижнее, агрессивнее и сильнее других овалов и кругляшков. Подвижные и агрессивные всегда побеждали. Это и были вирусы.

Ему неприятно было сознавать, что такие вот твари в нём присутствуют, и он старался принимать возможные профилактические меры, а заподозрив в себе даже самые малые признаки насморка или кашля, тут же обрушить на них всю силу известной ему фармацевтики. Он не хотел болеть! Он любил быть в хорошей форме. Ему нравилось чувствовать себя чистым, опрятным, выспавшимся и эффективным. Ему нравилось в это играть. Он считал себя, и небезосновательно, неглупым человеком. Он понимал, что игра в эффективность — это игра. Но ему очень нравилось выигрывать.

А в тот раз он попросту устал и пропустил удар. Двое суток почти без сна, плохие санитарные условия, коварное время года и ряд других обстоятельств притупили бдительность, и болезнь незаметно подкралась.

Что же случилось? Он полтора суток не мог улететь из Хабаровска, вот и всё. Сначала не принимал Хабаровск, потом — Москва, то тут был сильный боковой ветер и наледь и ещё чёрт знает что, то там был туман и нулевая видимость. Потом восемь часов полёта. Ноябрь. И прилетел он домой, точнее в столицу, совершенно больным.

Перелёты далеко не первым классом, весьма скромные гостиницы и здания аэропортов были для него не только делом знакомым, но и привычным. Раз-два в месяц он уж точно летал куда-нибудь на два-три дня. Правда, Хабаровск, Иркутск и другие дальние-дальние города случались не часто, пару раз в год, не более. Но и к дальним перелётам он привык, выработал навыки, правила и старался их придерживаться, чтобы сэкономить силы и достойно нести звание посланца Москвы, поддерживать столичный уровень, хотя не понаслышке знал о скептическом и ироничном отношении провинции ко всему столичному и к нему в частности.

Банк, в котором он работал уже одиннадцатый год, имел филиалы по всей стране. И последние пять лет он посещал эти филиалы, проводя тренинги и обучая персонал всё новым методам работы с клиентами, да и вообще работы.

Чаще всего ему приходилось встречаться и работать с людьми старше его, убеждёнными в своих глубоких знаниях о том, как следует работать в местных условиях. Люди на местах почти всегда демонстрировали уверенность в том, что их город и их жизнь имеют уникальную специфику, и своё пренебрежение к любым новым и чужеродным, по их мнению, московским новшествам.

Андрею, а именно так его звали, нравилось встречаться с провинциальным скепсисом и предубеждением, а потом в течение пары дней опровергать и то и другое, быть убедительным, интересным и улетать в Москву победителем. Ему приятно было ощущать себя разворошившим тихий уездный муравейник.

Для этого необходимо было всегда быть опрятным, подтянутым, улыбающимся, с хорошим цветом лица и глаз, уверенным в себе не только внешне, но и внутренне, остроумным, то есть раздражающе безупречным. Этому он научился за почти одиннадцать лет работы в банке.

Попал он в банк, как ему всегда казалось, случайно. После журналистского факультета Московского университета, где он воспринимал себя как элиту и чуть ли не сверхчеловека, после бурной жизни последних студенческих лет он попал в реальную журналистику. Об этой журналистике он потом старался не вспоминать, а некоторые эпизоды того периода и не мог вспомнить. Из той жизни его выдернул могущественный дядя Серёжа.

Дядя Серёжа, брат покойного отца, в своё время избавил Андрея от армии и по просьбе матери, а также из чувства братского долга, присматривал за Андреем. Именно дядя Серёжа устроил племянника в пресс-службу банка, помог получить второе высшее, уже экономическое, образование, всячески контролировал Андрея и вёл с ним беседы о светлом образе своего покойного брата. Делал это дядя Серёжа жёстко, но умно́, и ровно до тех пор, пока не убедился в том, что племянник втянулся в работу и рабочий азарт, и пока не получил подтверждения о том же самом от своих старых друзей, которые приютившим Андрея банком руководили.

Андрей и сам удивился тому, как легко он втянулся. После аморфных и умозрительных дисциплин, которые и дисциплинами трудно назвать, то есть после того, что он штудировал, обучаясь журналистике, более строгие, внятные и наукообразные предметы усваивались легко, были понятны и имели очевидную связь с известной Андрею жизнью. Ему нравилось то, что у него многое и без особого труда получается.

Потом ему понравилось носить белые рубашки и то, что к вечеру манжеты остаются чистыми, потому что в банке всегда чисто и даже красиво. Ему понравилось его рабочее место и ощущение себя на месте. И хотя рабочие места потом менялись, ощущение себя на месте только укреплялось.

Получив диплом экономиста, Андрей подумал-подумал, да и поступил на психологию, которая его, особенно поначалу, увлекла своими возможностями. Но потом жизнь преподнесла ему несколько таких уроков, что Андрей убедился в условности многих, казалось бы, безусловных психологических законов, и, когда получил свой третий диплом, он трезво оценивал свои возможности и даже был самоироничным человеком.

Дело было в том, что Андрей сильно влюбился, женился и прожил в браке три года, два счастливых и один — в аду. Тогда же он испытал радость и горе отцовства во время крушения семьи и развода. Развод, как Андрей ни пытался, вышел не цивилизованный, совсем не современный и отнюдь не столичный. Было много крика, брани, нервов, истерик, хлопанья дверьми и прочих ужасов. Так что ему, невзирая на изученную психологию, нечем было гордиться. Напротив, часто, даже осознавая всю пошлость, глупость ситуации и своего поведения, он не мог удержаться от этих глупости и пошлости.

В итоге последние четыре года Андрей снова жил с мамой в квартире, где прошли его детство и юность. Сначала трудно было вернуться в эти стены, но потом стало удобно. Он не захотел снова жить в своей некогда детской комнате и занял кабинет отца, на своё усмотрение многое в квартире изменил. Мама не возражала. И последние четыре года Андрей был очень эффективен. А тут задержка рейса, да ещё так надолго.

Сначала объявили, что вылет задерживается на час, через час — ещё на час, а потом — сразу на четыре. Местные стали разъезжаться по домам, а Андрею некуда было ехать. Возвращаться в филиал банка он не хотел. После красивого и эффектного завершения своей миссии ему не хотелось без дела мозолить глаза тем, с кем простился накануне. Друзей или знакомых в Хабаровске, Хабаровском крае, да и на всём Дальнем Востоке у него не было. Из гостиницы он съехал, на то, чтобы взять номер на дополнительные несколько часов, у него не было служебных полномочий, а за свой счёт было жалко, и он остался в аэропорту.

Андрей помаялся, понимая, сколько срывается, может сорваться и уже точно сорвётся важных и не очень важных дел, но заставил себя успокоиться. Предупредить о задержке рейса он всё равно никого не мог. Москва ещё спала крепким сном. Гигантская страна, разделённая часовыми поясами, диктовала свои правила.

Пришлось найти местечко в чём-то вроде кафе в здании аэропорта, взять пару журналов, кофе и убить несколько часов до того, как проснётся столица и можно будет совершить необходимые телефонные звонки. Андрей сел на твёрдый, но удобный

194

пластмассовый стул с металлическими ножками, открыл журнал и отпил кофе.

Задремал он совсем ненадолго, а проснулся от ощущения потери равновесия. Вздрогнул, открыл глаза, возвращаясь в реальность, огляделся по сторонам и почувствовал плечами и шеей сильный и стабильный сквозняк, которого до этого не ощущал. Ещё он обнаружил холод внутри туфель. За какие-то десять-пятнадцать минут неудобного полусна он весь замёрз и продрог. Андрей поднялся, потянулся всем своим неспортивным телом с небольшим, но досадным лишним весом, и пошёл за горячим кофе. Нужно было срочно согреться.

Потом он звонил в Москву, сказать, что задерживается, но до конца рабочего дня появится, пытался какие-то вопросы решать по телефону. Но тут объявили о задержке рейса ещё на два часа. Задерживался не только рейс, которым должен был лететь Андрей, но и другие. Народ накапливался в аэропорту, и покидать насиженное место было чревато длительным и утомительным прямохождением.

Среди пассажиров Андреева рейса ходили слухи, что их самолёт посадили то ли в Иркутске, то ли в Чите. А то говорили, что он на подлёте. К вечеру самолёт прилетел, все кинулись регистрироваться, но рейс задержали ещё на два часа по необъявленным причинам. А потом ещё и ещё.

Андрей всё звонил, предупреждал, извинялся. На работу он уже не успевал и к другу на день рождения тоже. С бывшей женой разговор не получился. Точнее, получился безрезультатный и на повышенных тонах. Андрей звонил и девушке Александре, с которой у него что-то намечалось, вернее, ему очень хотелось, чтобы что-то наметилось. Но Александра была занята неотложными делами в своей риэлторской фирме. Андрей потом ещё ей звонил, уже глубокой хабаровской ночью, то есть московским вечером. Но она снова была занята, уже не по работе, и снова не смогла говорить. Это Андрея задело сильнее всего. Разговор с сотрудницей тверского филиала Алёной, с которой у Андрея был стабильный вялотекущий роман, не согрел его и не успокоил.

Под утро он поел предоставленной авиакомпанией еды и уснул на кровати, что стояла в просторном помещении среди дюжины таких же кроватей. Уснул, сняв с себя только пиджак, галстук и туфли. Укрылся Андрей пальто, не решившись воспользоваться одеялом.

Засыпая, он чувствовал неприятную кислоту в горле и ломоту в руках и ногах, глазам не нравился электрический свет. Но Андрей отнёс это на счёт усталости и бессонной ночи. Поспал он часа три: его по ошибке разбудили — вылетал задержанный рейс во Владивосток. Проснувшись, он обнаружил себя свернувшимся в тугой калачик, чтобы полностью укрыться тонким своим столичным пальто. Его знобило, но он решил, что просто слегка замёрз. Когда брился в туалете, воспалённые глаза в зеркале тоже не вызвали особых подозрений. А какими ещё могут быть глаза в таких обстоятельствах? На всякий случай он выпил аспирин, который был всегда с собой, и привычные ежедневные витамины. Потом в кафе взял чашку плохого, но горячего кофе и убедил себя, что самочувствие у него для такой ситуации нормальное. Вот только душ хотелось принять нестерпимо.

Дождался Андрей вылета совершенно разбитый, издёрганный и на взводе. До регистрации было много, и всё неприятных, телефонных разговоров по работе. Несколько раз звонила мама и, как ему показалось, уж очень по-стариковски о нём беспокоилась. С бывшей женой случился короткий и яростный диалог про деньги, срочно необходимые дочери, —

но для чего именно, бывшая не захотела объяснять. С девушкой Александрой снова не удалось толком поговорить. Она попросила перезвонить через пару часов, но к назначенному времени у Андрея окончательно разрядился телефон, а подзарядить его не получилось: ночью Андрею с этим помогли служащие аэропорта, а теперь уже аэропорт был переполнен, и им было не до зарядки его телефона.

Когда к Андрею с пьяными разговорами пристал товарищ по несчастью, ожидавший вылета на Камчатку, Андрей уже едва сдерживался. Тот ни с того ни с сего самыми расхожими и типичными словами стал ругать Москву, а когда узнал, что Андрей москвич, принялся вяло Москву хвалить. Объявление о начале регистрации спасло Андрея от собеседника. Голова жутко болела пульсирующей болью, но Андрей видел причину этой боли в истерзанных нервах и тяжёлом утомлении.

Взвинченные до предела усталые женщины, охрипшие от долгого плача дети, несколько раз за полтора суток опьяневшие и протрезвевшие небритые мужики, несмотря ни на что весёлые и шумные иностранцы окружили Андрея в автобусе, который вёз их к самолёту. Как только уложил увесистый портфель и пальто на полку и уселся на своё место возле иллюминатора, он тут же понял, что заболел. Хворь воспользовалась его усталостью, нервами, сквозняками, тонкими подошвами туфель, проникла в него и стремительно укреплялась в организме.

Пока взлетали, пока набирали высоту и нельзя было ходить по салону, Андрей нетерпеливо ждал возможности обратиться к стюардессам за помощью. За эти двадцать пять минут он начал покашливать, успел сначала вспотеть, а потом замёрзнуть. Осознав в себе болезнь, он стал совершенно больным.

У стюардесс нашлись только обычные обезболивающие. Андрей принял сразу две таблетки: голова просто раскалывалась от боли. Он попросил горячего чая, но ему ответили, что это возможно только тогда, когда питанием и напитками обслуживают всех пассажиров. Тогда он попросил плед. Его знобило. Он даже не стал снимать пиджак. Понимая, что сильно изомнёт одежду, всё равно укрылся пледом поверх пиджака, чтобы было теплее. Да и сил снимать и куда-то пристраивать пиджак, не было совсем. Он вжался в кресло, скукожился, крепко сжав зубы, и страшно сердился на болезнь, которая отнимет у него много сил и как минимум несколько грядущих дней. Сердился на задержку рейса, на усталость, на банк, у которого слишком много филиалов, на необъятные размеры родной страны, на то, что, кроме как в столице, никто нигде делать ничего не умеет и не хочет и ему приходится мотаться по разным городам, на то, что на высоте десять тысяч метров не найти лекарств, чтобы остановить развитие хвори... Он прямо-таки видел, как в недрах организма активные и агрессивные болезнетворные бактерии побеждают усталых, вялых, но хороших. А лететь было ещё долго, очень долго.

Головная боль вскоре отступила. Голова не столько прошла, сколько одеревенела. Кашель усиливался, горло болезненно реагировало на каждое сглатывание.

Еду подали быстро. Измотанные пассажиры так же быстро её съели, потом выстроились в туалет, кто-то послонялся по салону, и самолёт стал затихать. Плачущие дети, видимо, уснули, разговоры иссякли. Ровный гул стал основным непрерывным звуком, успокаивающим и убаюкивающим.

От еды Андрей категорически отказался. Сама мысль о ней вызывала тошноту. Чая он выпил две чашечки, более-менее смягчил горло, согрелся и попытался угнездиться поудобнее, чтобы заснуть.

Но заснуть не удавалось. Всякое положение тела было неудобно, хотя ему ещё несколько дней назад казалось, что он привык к авиакреслам и может спать в любой их модификации.

А ещё раздражала соседка. Не сердила или не нравилась, а именно раздражала. В соседнем кресле оказалась молоденькая девица. Маленького роста, румяная, веснушчатая, с короткими рыжими волосами и весёлыми блестящими глазами, которые буквально сверкали из-за больших очков в модной чёрной пластмассовой оправе. Одета девица была во что-то мягкое и бесформенное. У неё с собой было множество предметов, предназначенных для удобства в полёте. Как только оказалась на своём месте, она тут же разулась и натянула на ноги толстые яркие носки крупной вязки, поджала под себя ноги и угнездилась в кресле. Из рюкзачка она достала, моментально надула и надела на шею специальную подушку, воткнула в уши наушники, пристегнулась ремнём безопасности, извлекла откуда-то большое зелёное яблоко и книгу, книгу открыла, уставилась в неё и громко захрустела яблоком. Всё это она успела сделать ещё до того, как самолёт стал выруливать на взлётную.

Из её наушников хоть и тихо, доносился ритм. Только ритм. Яблоко она откусывала редко, но очень громко и даже звонко. Яблоко было большое, а книга толстая. Соседка периодически посмеивалась прочитанному, но чаще тихонько похрюкивала, сдерживая смех, видимо, было смешно, но не очень. А иногда смеялась в голос. По ней было видно, что ей просто здорово и ей всё нравится. Как раз это Андрея и раздражало. Ему было плохо.

Свою еду соседка, отложив книгу и вынув наушники, съела с аппетитом. Пока она ела, Андрею удалось с ней поговорить. Представилась она Аней. Аня была родом откуда-то из северного городка, название которого Андрей тут же забыл. Училась в питерском университете на филологическом. Андрей попытался сказать, что он тоже филолог, та сначала обрадовалась, а потом, услышав про факультет журналистики, пренебрежительно хмыкнула. Аня училась на третьем курсе, специализировалась на зарубежной литературе. Она быстро рассказала, что её интересуют японские средневековые тексты, что она хочет в дальнейшем заняться литературным переводом с японского, но для этого надо менять учебное заведение, к чему она пока не готова. В Хабаровск она летала на студенческую конференцию, где ей понравилось, потому что было много живых японцев.

Закончив трапезу, она достала влажные салфетки, вытерла руки, лицо и шею, вставила в уши наушники, уткнулась в книгу и сразу захихикала. Андрей не успел спросить, что же это она такое весёлое читает, а ему было любопытно. Он вдруг понял, что очень давно не читал толстых книг. Никаких книг, кроме учебников, справочников, методик и сборников специальных статей. Он попытался вспомнить, когда в последний раз с увлечением читал беллетристику и что это была за книга. И не вспомнил. Он даже не смог вспомнить, каково это, читать литературу. Хотя когда-то много читал.

Он не заметил, как уснул. Сон получился болезненный, воспалённый и короткий. Ему приснился какой-то аэропорт и что он никак не может найти паспорт, не помнит, где мог его оставить, а телефон разряжен и позвонить невозможно. Во сне он закашлялся и проснулся.

Основной свет в салоне самолёта был выключен, гул превратился в особую, ровно звучащую тишину, кто-то сзади басовито похрапывал, соседка уютно и совершенно бесшумно спала, надев на глаза наглазники на резинке.

Андрей сразу понял, что уже не уснёт. Озноб не прошёл, ломота в суставах никуда не делась, во рту было ужасно сухо, а губы, казалось, зашелестят, если ими подвигать. Он включил над собой лампочку, посмотрел на часы и с отчаянием обнаружил, что спал всего ничего, а лететь ещё почти шесть часов. Он приподнялся, огляделся, увидел, что во всём салоне горит всего несколько индивидуальных лампочек, и нажал кнопку вызова стюардессы. Пришла взрослая женщина с ввалившимися от усталости глазами, молча выслушала просьбу принести воды, и лучше сразу бутылку, чтобы не беспокоить её несколько раз.

Получив поллитровую бутылку воды, Андрей понял, что больше ему делать абсолютно нечего. Эта мысль повергла его в уныние и какую-то душную скуку. И тут взгляд его упал на толстую книгу, которую соседка вставила в карман впереди стоящего кресла. Андрей поколебался, но, рассудив, что в этом нет ничего дурного, взял объёмный том. На обложке он прочёл: «Хрестоматия японской литературы XV— XIX веков». Он открыл её и узнал, что книга эта предназначена для студентов и преподавателей, а издана она каким-то университетом. «Никогда бы не поверил, что старинная японская литература может быть такой занятной», — подумал Андрей. Он наугад раскрыл книгу, увидел плотный, не разбитый на абзацы и диалоги текст, полистал дальше и наткнулся на начало какого-то то ли рассказа, то ли повести, то ли новеллы. В верхней части страницы Андрей прочёл слово, которое тут же забыл, но успел подумать: «Интересно, это имя автора или название?» А текст под этим именем или названием начинался так: «Я, да будет вам известно, Фукакуса, смиренный житель столицы».

Эта первая фраза отозвалась в Андрее каким-то завораживающим эхом. Или, если проще сказать, она Андрею очень понравилась.

Теперь он не смог бы вспомнить, кто был этот Фукакуса. Текст для чтения был сложный, порядок слов в предложении — диковинный и витиеватый. Быстро, как привык, читать не получалось. Андрей понял, что прежде не читал такой литературы. Если она и была в университетской программе для журналистов, то факультативно, и он прошёл мимо. Андрей знал, что существует некая японская поэзия, короткие стихи хокку и танки. Он даже заучил несколько, чтобы при случае блеснуть эрудицией. Правда, не помнил, что именно выучил, хокку или танки. Зато помнил, что они отличаются размером, но какой у того и другого размер, сказать не мог.

Фукакуса куда-то шёл. Андрей читал, постоянно спотыкался о многочисленные, трудные даже для внутреннего безмолвного произношения названия японских провинций, дорог, деревень, городов, имена людей, рек, династий, горных вершин и перевалов. Всё имело свои названия, всё было важно давнему японскому автору. Андрей читал и читал, понимая, что читает слова, эти слова звучат в его голове, он слышит их, но в некий смысл они не складываются. И это ему тоже понравилось.

Понятно было только, что Фукакуса — путник, но, куда он шёл и зачем, Андрей уже не мог вспомнить, а точнее, когда читал, не очень-то и понимал. Правда, его удивляло то, что повествование создавало ощущение бесконечно долгого путешествия. При этом он прекрасно помнил, как выглядит на географической карте Япония и что по этим островам особо не попутешествуешь. Да и как можно всерьёз относиться к путешествию по Японии, когда летишь из Хабаровска в Москву? Медленно читая тягучий текст, держа в руках толстую книгу и ощущая её вес,

Андрей даже подумал: «Эту книгу прочесть будет потруднее, чем обойти Японию пешком». Подумал он так и в первый раз в процессе чтения усмехнулся.

А Фукакуса всё шёл, встречался с другими путниками, беседовал с ними, расспрашивал о чём-то, кого-то или что-то искал. Он пересекал реки с незапоминающимися названиями по мостам, каждый из которых имел своё имя. Потом поднимался в горы. В горах лежал снег. Путники предупреждали его, что ему не стоит идти дальше, что впереди трудный перевал, а за перевалом начинаются владения Горной ведьмы, с которой лучше не встречаться. Название перевала было совсем короткое и звучное, но Андрей и его не запомнил.

На перевале было много снега, Фукакуса устал, и Андрей отвлёкся от книги. Устали и без того усталые и воспалённые глаза. Андрей отпил воды, покашлял болезненным кашлем, ещё попил и глянул в овал иллюминатора, но увидел там только нечёткое своё отражение. Тогда он выключил лампочку над собой, снова взглянул в чёрный овал, прильнул к нему и увидел звёзды, много звёзд. Неподвижное звёздное небо. То, что он летел с огромной скоростью, было только знанием. А то, что он видел, говорило об обратном. Ровный гул в ушах, звёзды перед глазами — неподвижность.

Перед тем как дойти до перевала, Фукакуса останавливался в одиноком маленьком домике в горах. Старик, хозяин домика, приютил, обогрел путника, разделил с ним скудную пищу и под завывание ветра и треск огня в очаге поведал свои истории и путаную историю Горной ведьмы, обитавшей за перевалом. Андрей смотрел на звёзды, вспоминал прочитанное и думал, что всё-таки это чертовски здорово, сидеть у огня в уютном доме с собеседником или даже одному, спокойно слушать вой ветра в трубе и за окном, знать, что далеко вокруг только снега и снега. Чтобы в доме было вдосталь еды. Пусть простой, но вдосталь. Чтобы была в доме библиотека, чтобы было чем топить печь...

Воображение рисовало маленький, занесённый снегом домик в лунном свете. За домом темнел лес, тускло светилось замёрзшее окошко с рамой крест-накрест, из трубы к звёздам вертикально поднимался белый дымок. Домик в этой воображаемой картине был совсем не японским. Хотя Андрей мог бы нарисовать себе и японский домик. Он видел достаточно японских фильмов и передач о Японии. Маленький домик, приподнятый над землёй как на ножках, бумажные стены, круглые, покачивающиеся на ветру фонарики, снег на крыше. В каком-то таком доме должен был укрыться от стужи и ветра Фукакуса. Но Андрей представил себе деревянную избу с дымком из трубы и окошком.

Он сидел в этом домике у огня. У открытого огня. У камина...

О камин Андрей и его воображение споткнулись. Получалась неувязочка. В избе должна рисоваться печка. Но Андрей помнил, что открытого огня, у которого можно сидеть и греться, от печки не дождёшься. Настоящей печи Андрей никогда не видел, в настоящей избе не бывал, но, конечно, из разных источников знал, как выглядит и то и другое.

К печке не хотелось. Хотелось именно к камину, которого в избе быть не могло.

Камины Андрей видел не раз. В загородном доме дяди Серёжи был большой беломраморный камин. Дядя затапливал его, когда собиралась в его доме компания. Но камин был такой большой, что, когда в нём горел огонь, рядом было трудно находиться из-за жара. Дядин камин был парадный, роскошный, но неуютный. Своего загородного дома или дачи ни у Андрея, ни у его родителей не было. А на подмосковных дачах друзей и знакомых Андрей видел камины — маленькие, большие, красивые и некрасивые, закопчённые или чистые и совсем не используемые. В ресторанах и залах гостиниц он тоже видел камины с настоящим огнём, электрическим обогревом или газовые. Только ни к одному известному камину Андрею не хотелось.

Хотелось к какому-то идеальному камину из английских романов, фильмов, из фантазий и представлений о чём-то сугубо английском. К тому самому, у которого сиживал Шерлок Холмс. И чтобы обязательно удобное кресло, даже кресло-качалка, и непременно плед — не такой, какой дала усталая стюардесса, а настоящий.

На пледе его мысль снова затормозила. Он понял, что у него никогда в жизни не было пледа, который можно было бы назвать настоящим, — тёплого, клетчатого, уютного.

Андрей много раз слышал от друзей и подруг, мол, хорошо было бы бежать от всего-всего, сидеть у камина и кутаться в плед. Некое желанное спокойствие для них, да и для Андрея, ассоциировалось со словом «плед». Как только заходил разговор об отдыхе, комфортном безделье, о чём-то противоположном суетному столичному бытию, которое принято ругать и на которое чаще всего сетуют, тут же кто-нибудь произносил слово «плед», которое заключало в себе наиболее типичный и расхожий образ спокойствия и тихого счастья.

Андрей подумал об этом, представил себя и своих друзей в креслах и пледах, попытался прикинуть, сколько они смогут так просидеть, хоть у камина, хоть у печки, и снова усмехнулся. А усмехнувшись, закашлялся, прикрыв рот кулаком. Но часть чёрного овала иллюминатора запотела от его кашля. Образ одинокой избушки, потрескивающего огня, ветра в трубе и за окном исчез, рассеялся. Андрей оторвался от иллюминатора, и гул летящего самолёта снова стал просто гулом.

Где-то впереди, в начале салона, захныкал ребёнок. Обычно в подобной обстановке детский плач Андрея раздражал, а тут скорее наоборот. По звуку он не смог определить, хнычет мальчик или девочка, но то, что ребёнку около года, он, на основе своего отцовского опыта, определил. Ребёнок плакал недолго, видимо, толком даже не проснулся. Но короткий и негромкий, этот плач сообщил всему сонному воздуху в летящем сквозь студёное чёрное небо самолёте что-то домашнее, безопасное и житейское.

Андрею вдруг захотелось немедленно взять градусник, сунуть его под мышку и узнать, какая у него температура. То, что температура высокая, он не сомневался. Но вот какая? В самом градуснике уже словно заключалось лечение, начало избавления от недуга. Что-то хорошее было в нём. Ему остро захотелось домой, к маме, которая, конечно, лучше всех знает, как надо его, Андрея, лечить.

Как часто в минуту усталости, замотанности, когда нужно было сделать много дел, а времени не хватало даже на одно, когда все не сразу получалось и делать то, что необходимо, ужасно не хотелось, Андрей думал, что ему хотелось бы поболеть. То есть иметь для всех и для себя самого вполне уважительную причину ничего не делать, а лежать дома в постели или на диване, смотреть телевизор, слушать музыку или читать. Но чтобы при этом болело только горло, да и не то чтобы болело, а просто побаливало.

То есть так болеть, как удавалось только в школьные годы, когда воспалённое горло и повышенная температура избавляли от необходимости идти в школу. А необходимости туда ходить Андрей никогда не видел.

Теперь же никакая болезнь не избавляла его от беспокойств и обязанностей. Любая простуда, даже та, что позволяла не ходить в банк, лишь усложняла его жизнь. Приходилось о чём-то договариваться и передоговариваться по телефону, кого-то о чём-то просить, извиняться, что-то контролировать на расстоянии. А значит, лучше было вовсе не болеть. А когда казалось, что хочется похворать, на самом деле ему просто хотелось тишины, лени, безответственного безделья и того, что называется безмятежностью.

Соседка зашевелилась во сне и что-то тихонечко пробормотала. Андрей моментально захлопнул лежавшую на коленях книгу, быстрым движением сунул её на место и замер. Так он просидел секунд десять, а потом усмехнулся сам себе. «Чего это я, как воришка? Что тут такого? Ну почитал немножко... Извинюсь и поблагодарю», — подумал он, снова достал книгу и включил над собой свою лампочку.

Страницу, на которой прервалось чтение, он нашёл не сразу. Он оставил Фукакуса на заснеженном перевале. Андрей какое-то время листал книгу в поисках перевала, нашёл его и снова углубился в чтение.

Фукакуса одолел перевал. Горная ведьма появилась неожиданно. Собой она представляла древнюю старуху в лохмотьях и с палкой, на которую опиралась. Воображение нарисовало Андрею кого-то вроде Бабы-Яги из наших фильмов и книжек, но с раскосыми японскими глазами.

Фукакуса вёл с ведьмой долгие сложные разговоры. Ведьма всё же оказалась не просто старухой, а настоящей ведьмой. Она меняла обличья, и всё вокруг себя, и Фукакусу. То она представала перед ним в образе матери, а то — потерянной возлюбленной, которую, видимо, Фукакуса и разыскивал. Мать Фукакуса видел в поле среди высокой травы и цветов. Он бежал к ней и никак не мог приблизиться даже на шаг. Возлюбленная же ждала его в дивном саду, где с деревьев падали на землю белые и розовые лепестки. Фукакуса видел её, звал, тянулся к ней, но в лицо ему летели не лепестки, а снежинки. Возлюбленная его не слышала. Она сидела под деревьями на коленях, спина её была пряма, а голова слегка склонилась вправо. На шёлке её кимоно были белые и розовые цветы. Её трудно было разглядеть в дожде из белых и розовых лепестков, которые падали всё гуще и гуще. И вот Фукакуса уже потерял её из виду...

Андрей вдруг понял, что продолжает читать буквы и слова, но слова эти совсем не о том, что он видит в своём воображении. Он вернулся на предыдущую страницу, обнаружил там ожидающую возлюбленную, но не нашёл ни слова про лепестки, цветы на шёлке и кимоно. Эта картина возникла сама собой. «В каком же фильме я такое видел? Кажется, это было китайское кино. А у нас тут Япония, как ни крути...» — подумал и совсем тихонько усмехнулся Андрей.

Его никто и никогда так не ждал. Никто и никогда! Мама, конечно, всегда его ждала, из всех поездок. Но отца она ждала сильнее, это он помнил. И брата старшего ждала и ждёт сильнее. Всегда сильнее. Сразу, как только тот уехал, стала его ждать. Любого самого короткого его визита она ждёт и ждёт. Маленькая дочка Андрея, конечно, ждёт. Но она, скорее, ждёт той короткой радости, которую он с собой приносит, когда ему удаётся с ней встретиться. Бывшая жена не ждёт точно, и давно. А когда могла ждать, они не расставались. Девушка Александра совсем его не ждёт. Это он чувствовал и даже знал. Алёна из Твери говорила, что ждёт постоянно, но приезжала всегда сама. Он мог вспомнить ещё лица тех, кто мог бы его ждать, но не ждал. Он смотрел в книгу и понимал, что никто нигде и никогда не ждал его так, как ему бы хотелось.

— Да и сейчас не ждёт никто, — почти бесшумно проговорили его губы.

Он часто ругал себя за сентиментальность и думал, что у него нервы ни к чёрту и со вкусом что-то не то, когда утирал слёзы во время какого-нибудь фильма, который ни за что не порекомендовал бы друзьям. Постеснялся бы. Да и справедливости ради надо сказать, ему и самому тот фильм не нравился. Но когда он видел на экране подходящего к дому солдата... К дому на тихой улочке маленького американского городка, а в окне этого дома видел женщину... И вот эта женщина бросает взгляд в окно, отворачивается, но тут же снова резко оглядывается. Её крика не слышно из-за стекла, но видно, что она закричала и что-то выронила из рук. И вот солдат и женщина обнимаются на пороге, а к ним по лужайке бежит маленькая девочка в коротком платьице. Обычно в такой момент в фильме звучала соответствующая музыка, и Андрей смахивал слезу, стараясь делать это незаметно и ругая себя за сентиментальность.

Это мог быть не только солдат, но и моряк, или всадник, да хоть античный воин со щитом за плечами, который шёл по пыльной дороге к той, что всегда на эту дорогу смотрит.

Не в силах снова вникнуть в сложный разговор Горной ведьмы и Фукакусы, Андрей перелистнул несколько страниц, чтобы попробовать вчитаться в каком-то более простом месте. Но после трех-четырёх перелистываний увидел окончание то ли рассказа, то ли новеллы. Текст обрывался посередине страницы. Андрей заглянул за эту страницу и увидел название и начало какого-то другого произведения. Он вернулся к финальным строкам истории, которую читал, и пробежал их глазами. Самые последние были такие: «С шатких досок моста я снова ступил на дорогу. О, как столица от нас далека!»

— Во как! — сам себе тихо сказал Андрей, закрыл книгу и сглотнул воспалённым горлом слюну.

«Ничего-ничего. Завтра... А точнее, уже сегодня — пятница. И за выходные... Короче, в понедельник буду как огурец», — подумал он и крепко сжал сухие губы.

По тёмному салону тихонечко шла из хвоста вперёд та самая стюардесса. Андрей поднял руку, она остановилась рядом.

— Простите, — неожиданным для себя хриплым шёпотом сказал Андрей, — вы не могли бы сделать мне чаю или хотя бы дать горячей воды? Что-то горло болит.

— Потерпите минут десять? — вежливо спросила она. — Сейчас свет уже будем включать и давать завтрак. А там и на посадочку пойдём.

— Завтрак?! — удивился Андрей.

— Да. На этом рейсе кормят два раза. Подождите немного.

— Да-да, конечно! Извините...

Но стюардесса уже шла дальше.

— Что, подлетаем? — услышал Андрей заспанный голос соседки.

Она проснулась и смотрела на него большими глазами, которые без очков оказались совсем детскими.

— Сейчас завтрак будут давать, — ответил Андрей хрипло. — А потом пойдём на посадку.

— Завтрак? Здорово!

— Да, на этом рейсе еду дают два раза. Шутка ли, восемь часов!

— Удачно я поспала, — сказала она и улыбнулась.

— А я тут вашу книжку почитал, пока вы спали, — тоже улыбаясь, сказал Андрей. — Простите, что без спроса.

— Да пожалуйста! А что читали?

— Не знаю... Про Фукакусу.

— Про Фукакусу? — усмехнулась она. — И сколько прочли?

— Весь... То есть всю. Всё прочитал.

— Надо же! Я думала, кроме меня, этого никто читать не может, даже японцы! Ну и как?

— Как видите, жив, хоть дочитал до конца, — чувствуя вновь вернувшуюся пульсирующую боль, попытался пошутить Андрей.

— Да, занятный текст, — кивнула она. — Но это же хрестоматия. Здесь всё сильно сокращено. Да и то, что вы прочитали, только один из семи свитков повести странствий... Ну да ладно... А то я могу про это говорить бесконечно... Пойду умоюсь, пока остальных не разбудили.

Соседка очень ловко переобулась, достала сумочку, а оттуда — футляр зубной щётки и тюбик пасты.

— Вы себя хорошо чувствуете? — перед тем как подняться с места вдруг спросила она.

— Нет! Совсем не хорошо, — признался Андрей. — Лучше со мной не особенно общаться. А что, плохо выгляжу?

— Ко мне никакая зараза не прилипает, — бодрым шёпотом ответила она. — А у вас глаза красные. Не над моей же книгой вы плакали... Больные глаза. Заметно больные.

Сказав это, она вполне бесцеремонно разбудила тихую пожилую женщину, которая спала в крайнем у прохода кресле, попросила её выпустить и бодро зашагала в хвост.

«Это надо же, как у неё всё налажено!» — искренне восхитился Андрей. Он хотел бы пойти в туалет, пописать и умыться. Но туалет был так невыносимо далеко, свет в нём был наверняка неприятный, а все самолётные туалеты, конечно, мучительно неудобные.

Шагая по коридору аэропорта в толпе летевших с ним людей, Андрей слегка покачивался, но ему казалось, что его качает изрядно. Ноги не слушались, голова пульсировала, а правое ухо как заложило при посадке, так и не откладывало.

На выходе в зал прилёта стояли взволнованные люди.

— Откуда рейс? Из Хабаровска? — спросил Андрея какой-то мужик.

Андрей смог только кивнуть. Он вышел одним из первых: у него не было багажа. Встречающие скользили по нему взглядами и сразу устремляли их снова к дверям, откуда Андрей вышел.

— Ну наконец-то!.. Мы тут чуть с ума не посходили!.. — слышал Андрей за спиной.

Посреди зала стояло много таксистов. Обычно Андрей никогда не пользовался их услугами. Они, в его понимании, были для приезжих. Собственно, приезжих они и поджидали. Тех, кого никто не встречает, тех, кто не ориентируется в Москве, тех, кто готов заплатить за то, чтобы не заблудиться в огромном городе, где их никто не ждёт.

Но тут Андрей понял, что просто не сможет дойти до поезда, которым всегда с удовольствием ездил. А что, сорок минут — и ты в центре! Но не теперь. Андрей был не в силах заставить себя тащиться на перрон и хоть сколько-нибудь ждать. Он хотел сесть в тёплый автомобиль и не думать ни о чём до самого дома. Он готов был за это заплатить все деньги, что у него с собой были.

Андрей выбрал среди таксистов самого опрятного, встретился с ним глазами, и тот шагнул ему навстречу.

— Такси! Недорого! — сказал Андрею гладко выбритый худощавый мужчина в светлом свитере.

— Что значит недорого? — совсем хрипло спросил Андрей и закашлялся.

— Договоримся, — бодро сказал таксист. — Уж если вы сюда издалека прилетели, то тут мы точно договоримся. А вы издалека прилетели?

— Из Хабаровска, — ответил Андрей, уже шагая вслед за таксистом.

Он шёл и думал: «Вот бы сейчас задремать по дороге. Хоть бы таксист не болтал...»

— Из Хабаровска? Земляк! Я из Благовещенска, — обрадовался тот.

— Нет, — прохрипел Андрей. — Я смиренный житель столицы.

— Чего?

— Местный я. Москвич.

— Хорошо... Я уже тоже почти... Пятнадцать лет, не шутка.

Машина, к которой они подошли, была чистенькая, и Андрею это понравилось. Он уселся на заднее сиденье, которое оказалось твёрдым и холодным, скукожился и чуть ли не застучал зубами от резко усилившегося озноба.

— Сейчас нагреем, — заводя машину и глядя на Андрея в зеркало заднего вида, сказал таксист.

— О, как столица от нас далека! — пробормотал Андрей.

— Чего? — спросил таксист, но, не дождавшись ответа, добавил: — Быстро доедем...

Палец

Рассказ

Ни у деда, ни у родителей никогда не было дачи. У него не было бабушки или тётушки, живущей в деревне недалеко от города. И в далёкой деревне у него не было родственников, к которым можно или нужно было бы хоть иногда ездить. Ему посчастливилось не служить в армии, и поэтому не пришлось вкусить некоего иного, кроме как домашнего, городского, образа жизни и быта. Он с самого рождения был и оставался сугубо городским жителем. Его родители были такими же. В их семье не было традиции ездить за грибами-ягодами. Отец его презрительно относился к рыбалке, охоте и пикникам. Если в молодости родители и выезжали с друзьями куда-нибудь на пикники или даже с палатками на природу, то от этого осталась в семейных альбомах только пара фотографий, а воспоминаний и рассказов не сохранилось вовсе. Он не выезжал в студенческие свои годы на сельскохозяйственные работы, и у него не было и не могло быть, в силу специфики образования, никакой учебной практики в сельской местности. Он, можно сказать, никогда не держал в руках лопату. Может быть, несколько раз в школьные годы весной поковырял клумбу в школьном дворе, под присмотром учительницы ботаники. Несколько раз он чистил снег лопатой всё в том же дворе и в те же годы.

Он не посадил в своей жизни ни дерева, ни куста, ни травинки. Не случилось. Не пришлось. Не было ни причины, ни возможности. У него пока не было в мире могил, или хотя бы одной могилы, за которой нужно было бы ухаживать, то есть приводить её в порядок весной, после зимы, заниматься цветами, травой. Жизнь пока его берегла от этого.

У него в квартире не было растений в горшках. Никаких. Ни одного. Даже самого неприхотливого, которое можно поливать только, когда вспомнишь о нём или неожиданно на него наткнёшься впервые за несколько недель, подойдя к окну и обнаружив его, едва живое, на подоконнике.

И когда он жил с родителями, с самого детства, он не помнил цветочных горшков с растениями возле себя. На кухне мама держала на окне какие-то, что называется, цветы, которые никогда не цвели. У бабушки и деда в их состарившемся вместе с ними жилье были горшки с кактусами, и даже у окна в так называемой гостиной произрастало запылённое лимонное дерево, которое, по преданию, бабушка вырастила из косточки или из зёрнышка... Он просто не знал и затруднялся в определении: что же там у лимонов — зёрнышки или косточки. А бабушка гордо рассказывала, что давным-давно сунула лимонную косточку-зёрнышко в горшок с каким-то цветком — и выросло дерево. И лимоны с него очень вкусные. Он тех лимонов не видывал и к дереву тому относился равнодушно. Да и вообще он сызмальства бывал у родителей отца редко. Там, в тёмной, затенённой квартире, окнами в глухой двор, никого особенно не ждали и могли лишь ненадолго изобразить радость. Он, будучи ещё совсем мальчиком, как-то чувствовал, что дедушка и бабушка не особенно рады внуку, а потом в этом убедился, будучи постарше, когда у него родился брат. Внуки были лишними в той квартире с лимонным деревом.

Он был городской житель по сути и по крови. Растениям, водоёмам и животным в мире, в котором он родился и вырос, были отведены строго определённые места и функции. Деревья и кусты находились вдоль дорог и во дворах. На них никто, и он в том числе, не обращал почти никакого внимания. Были и другие деревья — в парках. Эти деревья доставляли удовольствие. Парки и их посещение были всегда связаны с удовольствием. Вода в городе была представлена несколькими фонтанами, прудами в парках, небольшим озером в самом большом парке, рекой с тремя мостами и набережной да речушкой, которая летом почти пересыхала и ужасно воняла в знойные безветренные дни. Животные в его мире обитали в цирке, в столичном зоопарке, и ещё в нескольких зоопарках тех городов, в которых он побывал. Неизвестные и неведомые животные, дикие или сельскохозяйственные, обитали за городом. Кошки, собаки и мелочь типа морских свинок животными не особенно ощущались. В его семье с незапамятных времён жил кот. Кот числился маминой собственностью. Это был мамин кот. Он понимал кота как довольно вредного, недоброго, ленивого, хитрого и мстительного человека с весьма своеобразными правами и обязанностями в их семье. Как животное кот не воспринимался. Животные были другие: медведи, волки, лошади, лисы, слоны, тигры, коровы, свиньи и так далее. Рыбы жили в парковом озере и в реке. Это он знал. Он какое-то время успел порыбачить на озере и на реке. Лет в тринадцать у него была даже страсть к рыбалке. Уловов больших никогда не случалось. Уклейки, карасики, пескарики да ерши. Однажды попался ему довольно крупный и резвый окунь, которого он не мог забыть. Но рыбе из городских водоёмов никто у него дома не был рад. Даже кот. Он воротил от улова своё брезгливое, надменное лицо. Кот был таким же городским обитателем, как и он. И по сути, и по происхождению.

Он с рождения жил в городской среде и в любом городе чувствовал себя, как говорится, в своей тарелке. В его жизни не было любимых и знакомых сызмальства деревьев, любимого перелеска, чем-то особым дорогого изгиба реки, холма, поля. Не было запахов, долетающих с полей или из коровника. Не было парного молока... Он знал, что такое молоко есть и что оно тёплое, потому что надоено из живой и тёплой коровы. Он даже однажды пригубил такое.

Ехал с друзьями поездом, и на одной из маленьких станций самый непоседливый и неугомонный его друг раздобыл целую банку тёплого ещё молока. Он радостно ворвался в купе с этой банкой.

— Так! Давайте быстро, быстро, быстро!.. Пьём, ребята! Молоко ещё тёплое. Стоим всего пять минут... А я тётке пообещал банку вернуть.

Компания была большая. Подбежали ребята из других купе. Банка пошла по рукам.

— Хоть вспомнить, какое молоко бывает на вкус... — протягивая руки за банкой, говорил кто-то.

— Д-а-а! Это вам не из пакета порошковое молоко! — вытирая губы, вторил другой.

Когда банка дошла до него, он взял её в руки и почувствовал сильное тепло. Ему захотелось тут же отдать эту банку кому-нибудь и не прикасаться к молоку. Это тепло было ему неприятным и незнакомым. Это было животное тепло из недр большого, незнакомого и почему-то неприятного ему существа. Тепло какой-то коровы.

— Давай быстрее! Давай... — подгоняли его.

Он поднёс банку к лицу, коснулся стекла губами, и из банки ему в нос именно что ударил сильный и сложный запах. Запах незнакомый. Тёплый и чужой. Он сразу понял, что так пахнет корова, коровье вымя, — о том, что у коровы есть вымя и именно из него добывают молоко, он знал... А ещё это был запах рук, которые надоили это молоко... И запах того места, где корова живёт... И ещё много оттенков.

Мурашки неприязни, брезгливости и почти отвращения пробежали по его спине, но он наклонил банку, молоко, ему показалось, обожгло губы, и он процедил в себя полуглоток молока и запах вместе с ним. Ему стоило неких усилий, чтобы не откашлять и не отплевать выпитое. Молоко было приторно сладким, приторно жирным, приторно живым и вообще приторным. А ещё ему показалось, что вот он коснулся — и в него проникли и корова, и вымя, и те самые руки.

У него не было никакого почтения к так называемым «домашним» продуктам. Все эти ахи и охи по поводу редисочки или укропчика со своей грядки вызывали у него, мягко сказать, недоумение и раздражение. А деревенское сало с дымком и чесночком пробуждало брезгливость. Как только видел сало, с толстой кожей по краю и точками щетинок на этой коже, он даже представить себе не мог, как это сало можно положить себе в рот.

Домашние колбасы, соленья, варенье и прочая снедь, сделанная неизвестно кем и в неведомых ему домах, купленная родителями на рынке или привезённая родителям их коллегами из деревень, с дач, от родительских коллег родителей с югов или северов... Всего этого он даже не касался. Не притрагивался ни к чему.

С каких пор родители стали придавать значение происхождению продуктов, он вспомнить не мог. Но в какой-то момент и мама, и отец стали покупать «огурчики с рынка» или «картошечку деревенскую». Как-то мама купила и засолила капусту, потом помидоры... Потом началось варенье, овощная икра... Но к тому моменту он уже не жил с родителями, а снимал маленькую квартиру в другой части города.

Для него всегда продукты питания да и все другие предметы продавались в магазине. Он не знал и не хотел другого молока, кроме того, которое продавалось в литровых пакетах, стоящих плотными рядами на полках супермаркетов. Он мог с закрытыми глазами определить по вкусу, молоко из какого пакета он пьёт. Из пакета с коровой на синем фоне или на розовом. Или же это молоко из пакета, на котором нарисованы небо и облака. У него было любимое молоко для завтрака с печеньем из красной пачки, и другое молоко, которое прекрасно подходило к пряникам, с принцессой на упаковке.

Он не представлял себе еду без коробок, банок, контейнеров и пакетов. Его это вполне устраивало. Он не знал и не хотел другого. Ему другое было не нужно, как и его родителям до поры. Ему даже магазинный мёд нравился больше, чем привезённый по просьбе родителей знакомыми с Алтая или из Башкирии. Почему-то мёд местных пчёл ценился мало. Местные пчёлы были не в чести. Какой они делали мёд и делали ли вообще — он не знал, так как в магазинах местного мёда не продавали. Но пчёл он иногда видел. Они залетали в город единицами. Он знал, что они могут ужалить, и боялся их с детства. Опасался даже сухих, умерших, на подоконнике в подъезде. Что уж говорить о живых. Но в магазинном мёде не чувствовалось участия и прикосновения реальных пчёл, то есть летающих, мохнатых и потенциально жалящих насекомых, похожих на мух.

Как я уже говорил, он был городской житель. Городской житель как минимум в четвёртом поколении, и ничего растительно-лесного, деревенско-доморощенного, плодово-ягодного и загородно-дачного в его жизни не было. И он не ощущал недостатка в вышеперечисленном. Наоборот! Городской ландшафт и пейзаж были ему дороги и понимались им как жизненно необходимые пейзаж и ландшафт.

Но при всём при том наш герой не был незнающим и не нюхавшим жизни городским чистоплюем. Городскую жизнь он знал как раз хорошо. Он никогда не был из числа центровых ребят или из золотой молодёжи. Его родители тоже не были, как говорится, вхожи и приняты. Их должности не позволяли им быть людьми заметными и влиятельными. Отец всю жизнь делал металлоконструкции, а потом ездил их монтировать в разные города. Один из московских мостов был сделан на отцовском заводе. Когда собирали мост, родители больше полугода прожили в Москве. Он был с ними и ходил в московскую школу. Ему понравилось. Ему понравилась жизнь в Москве. Жизнь была как жизнь, вот только сам город был мощнее, и городская его суть была гораздо более городской, что ли. Совсем городской! Предельно городской! И эта суть далась ему легко и даже с удовольствием. Чувствовались объёмы и размеры этого великого города. Вернувшись из столицы, он ощутил, что в своём городе ему тесновато. Но всё равно всё понятно и комфортно. А ещё поездка в Москву его убедила в том, что он сможет жить и работать в любом городе... И даже, скорее всего, в любом городе мира.

Последние годы у него была интересная и очень ответственная работа. Ему повезло найти работу по той специальности, которой он учился. Он стал работать специалистом по медицинскому оборудованию.

Со временем у него началось много командировок по разным городам и даже странам. Он бывал в Европе: в Германии, Австрии, Франции...

Эти страны показались ему очень большими парками. Парками, в которых есть в том числе города, городки, деревни, аэропорты, разнообразные промышленные предприятия. Но это всё равно в целом — парки. Железные дороги в этих парках, казалось, были проложены для украшения и разнообразия ландшафта. Уж больно красивы были сами железнодорожные пути, тоннели, мосты и станции. Слишком жёлтыми были цистерны, слишком блестящими скоростные пассажирские поезда и слишком красными фуражки железнодорожников. Сельский пейзаж за окном европейского поезда был таким, что становилось ясно: здесь невозможно купить банку парного молока. Здесь самой банки не найдётся.

Поля, перелески, холмы, горы, реки были за окном немецкого или французского поезда похожи на рукотворные элементы паркового устройства. Когда поймал себя на этой мысли, он заулыбался сам себе. Он вывел тогда для себя следующее: у нас парки находятся в городах, а в Европе города находятся в парке. Тогда же он ощутил всю старую Европу как очень большой, многоквартальный город, в основном состоящий из парковой территории. Европа сразу стала для него чем-то очень приятным, милым и скучным.

В своём городе к своим двадцати восьми годам он успел пожить на всех окраинах. Сначала на одной окраине была маленькая комната и длиннющий коридор. Потом на другой окраине была квартирка из комнаты и кухни. Там оба окна жилища выходили на большую железнодорожную станцию, которая круглосуточно шумела и гудела, грохотала и бубнила голосами из хриплых громкоговорителей. Потом было жильё возле так называемой «пожарки». Красивое старое здание с рядом больших ворот, в которые заезжали и из которых с воем вырывались красные пожарные машины, находилось прямо через дорогу от пятиэтажки, где он тогда жил с родителями. Он на всю жизнь запомнил и научился не просыпаться и не бояться воя сирен в ночи. Потом родился брат, и его жизненное пространство хоть и уменьшилось, но стало более обособленным от родительского. Тогда же и город принял его в свои улицы и маршруты без сопровождения. Без присмотра.

Вскоре у него появилась «своя компания», а вместе с ней — и давно остановленные стройки, брошенные пустующие здания, заводские закрытые территории, лабиринты гаражей, складов, и прочие труднодоступные, тёмные и манящие глубины городских дебрей. Были костры в каких-то руинах и испечённая в этих кострах картошка, ловко унесённая из дома. Были опасности, которые опасностями не ощущались. Совсем! Даже смертельные. Были стычки с другими забредшими на ту же территорию сверстниками и бегства от компаний постарше. Город тогда стал для него бездонным и бесконечным.

Потом родители улучшили свои жизненные показатели и переехали в тот район и ту квартиру, откуда он ушёл в свою самостоятельную жизнь и где родители остались, чтобы встретить старость, ничего другого для себя уже не ожидая. В том районе, где они тогда поселились, был большой неухоженный парк с озером в его глубине. До реки от нового жилища было недалеко. Темой компании, с которой он познакомился в новом для себя районе, была рыбалка.

Втянувшись в новую компанию, он тоже ненадолго увлёкся рыбалкой. Но рыбалкой не как видом добычи, а как азартным занятием. Рыбачить ходили в парк, на озеро. Лето почти всё прошло на его берегу. Приходили рано утром, возвращались после полудня по домам поесть и, если получалось, поспать. К вечеру те, кого отпускали, снова приходили к озеру.

Каких-то рыбёшек можно было поймать скорее утром. В утренние часы у него случался даже азарт. Бредущие через парк на работу люди или выбежавшие на прогулку, тяготеющие к спорту горожане часто останавливались рядом с юными рыболовами и глазели. Приятно было выдернуть у них на глазах пусть даже крошечную уклейку, снять с крючка и матёрым жестом бросить её обратно в воду, коротко ругнувшись голосом опытного рыбака. Пойманный карасик, даже совсем маленький, у всех вызывал восторг и возгласы одобрения.

Серьёзную рыбу можно было выудить из реки. Но на реке рыбачить было невесело. Там царили мужики. То есть там заправляли и занимали лучшие места взрослые рыболовы с серьёзными снастями и намерениями. Они не любили соседства мальчишек с их легкомысленными удочками и поведением. При любом удобном случае, стоило мальчишкам начать громко разговаривать, смеяться или просто возиться, мужики прогоняли пацанов прочь.

Он только однажды поймал в реке окуня. Большого, яркого и очень сильного. Прошли годы, но он не мог забыть, с каким трудом тащил из реки быструю и порывистую рыбу. Руки его помнили приятную дрожь удилища от усилий рвущегося с лески окуня. Тот окунь был пиком его рыбацкой недолгой карьеры.

После поимки окуня походы к озеру за рыбьей мелюзгой стали скучны и потеряли смысл. На реке рыбачить было сложно. Случайно попавшийся на его вполне детскую удочку окунь был неповторим. Нужно было покупать серьёзную снасть, втираться в доверие к мужикам и вообще изменить образ жизни. Самая серьёзная рыбалка была ночью под железнодорожным мостом. С набережной тоже можно было ловить, но только имея очень хороший спиннинг и массу разнообразных приспособлений. Нужно было жить этим. Жить и день и ночь. Но ночью его никто не отпустил бы никуда, тем более к реке, да ещё под железнодорожный мост. А потом пришла осень, школа, похолодало. Рыбалка закончилась в его жизни сама собой.

Были какие-то ещё увлечения, попытки заниматься плаванием. Но однажды он прокатился на картинге — и всё. Остальные интересы и отвлекающие факторы отступили и пропали. Он стал гонять. Гонять наяву и во сне. Целиком и полностью ушёл он в скорость, рёв двигателей, в механику и электронику.

Первым серьёзным приобретением в его жизни стал хоть и старенький, но бешеный автомобиль. Он упорно, с удовольствием приводил его в порядок и много ездил на нём. Больше чем нужно. Город в ночные часы стал для него особым пространством скорости и свободы. Под музыку, звучащую в машине, город становился иной реальностью. Город создавал ощущение попадания в кино, где он был и героем, и зрителем, и автором.

К своим двадцати восьми годам он по-прежнему снимал маленькую квартирку, в которой было всё так, как ему нравилось, то есть просто — чисто и аккуратно. А пару лет назад он чуть было не женился, но не выдержал совместного быта. У него уже был почти автомобиль мечты. В смысле такой автомобиль, о котором он мечтал лет пять назад, а приобретя который он тут же приобрёл другую мечту. Ему нравилась его работа, хоть он и не видел в ней для себя новых перспектив. Однако ещё пару лет он не хотел ничего менять в своей жизни... Ни работу, ни жильё, ни машину. Ему было комфортно в своём возрасте, в своих обстоятельствах и в своём городе.

Он спокойно посещал другие города и страны. Они не вызывали у него желания в них остаться. Он с удовольствием возвращался. Он и политикой не интересовался вовсе. Он не разделял всеобщего катастрофического взгляда коллег и приятелей на то, что царит и творится в стране и мире.

Единственно, чего он не любил в своём городе, — это летней жары. Его промышленному и довольно пыльному городу зной категорически не шёл. Он просто не знал, что можно делать в городе в жару. Но за город ехать не хотел. Не любил и не понимал радости загородного отдыха. Самое неприятное из загорода само прилетало в город. Комары долетали даже до центра, не говоря уж об окраинах. Однако в этот раз июнь выдался весьма дождливым и прохладным. Ему было комфортно в такую погоду. Июль обещал быть по каким-то приметам таким же. Город к началу июля почти вымер, и по нему было совсем приятно ездить в любое время суток. А в августе он собирался съездить в какой-нибудь город на берег хорошего и тёплого моря. И было с кем поехать.

Настроение ему не испортило даже то, что на работе сменился руководитель. С прежней руководительницей у него были очень хорошие и уважительные отношения. Она была, как говорится, крепкий начальник, но решила поменять место жительства и уехать в другой город. Откуда-то с югов тут же прислали нового руководителя. Молодого, с виду не более сорока. Чрезмерно весёлого, с южным смешным «гэ» и сразу начавшего ко всем обращаться на «ты». Это сначала сильно раздражало и насторожило нашего героя, но потом он убедился, что новый руководитель — хороший специалист, а это он уважал, и это точно было важно в их работе. А ещё он понял, что веселье начальника, его хиханьки да хаханьки, его чаще всего не остроумные, но задорные прибаутки — всё это искренне. Просто человек с юга. Вот и всё.

Проработав почти месяц, руководитель собрал весь коллектив в своём кабинете. За окном накрапывал июльский дождик.

— Дорогие коллеги! — разулыбавшись, начал он, поправив рукой свои чёрные, кудрявые и непослушные, без признаков седины волосы. Тёмные глаза его улыбались и сверкали. — Мне посчастливилось попасть в ваш... Будем теперь говорить «наш» коллектив и возглавить его. На прежнем месте работы, где я не занимал столь почётной должности, у нас была традиция... Каждый новый руководитель любого уровня устраивал вечеринку на свой вкус. Так можно было сразу о нём многое понять. Например, понять всё о его щедрости... — сказал он и сам засмеялся своей шутке. — А также можно было понять, что человек любит и не любит. Это важно в работе любого коллектива. Хочу предложить вам таким же образом познакомиться с собой... Точнее, хочу вас с собой поближе познакомить. — Тут он снова засмеялся сам себе, совершенно не обращая внимания на то, что больше никто не смеётся, а только некоторые вежливо улыбаются.

— Так вот, — продолжил он. — В следующую пятницу всем коллективом едем на рыбалку с ночевой! Я заядлый рыбак, но местной рыбалки не знаю. Палатки и прочее, в том числе и автобус... Не волнуйтесь! Это всё за счёт принимающей стороны. — И он снова засмеялся.

— Простите, но у нас другие планы, — послышался женский голос.

— Ревнивых мужей можно брать с собой, — тут же парировал начальник всё так же весело. — Милые дамы, не переживайте! Никто вас рыбачить заставлять не будет. Я устрою просто пикник. Кто-нибудь у нас играет на гитаре, кроме меня?..

Из шестнадцати человек четверо сразу нашли самые весомые и непреодолимые причины не ехать ни на пикник, ни на рыбалку. Остальные же, кроме бухгалтерии, то есть кроме двух дам около пятидесяти — главного бухгалтера и просто бухгалтера, — сделали печальные лица и промолчали в поисках аргументов и весомых причин тоже никуда не ехать.

Взгляд шефа померк. Он по-детски растерянно обвёл собравшихся взглядом. Наконец шеф встретился взглядом с ним:

— А от тебя я никакого отказа не приму! Даже не думай. Ты... как самый молодой наш сотрудник мне поможешь! Я очень рассчитываю. — И руководитель заулыбался, с надеждой глядя на него.

Под этим взглядом он не смог отказать, не смог найти или сочинить причину не ехать. Он даже не смог продемонстрировать на лице решительного нежелания ехать на этот коллективный загородный отдых.

— Дорогие коллеги, — снова громко и решительно сказал начальник. Мною предложенная... э-э-э... инициатива... Назовём её рыбалкой... Произойдёт при любой погоде. Следующую пятницу своей властью объявляю нерабочей. Лето же, коллеги! Надо пытаться больше отдыхать... То есть у вас есть до пятницы время решить все вопросы, чтобы поехать. Мужей, жён и детей, которые без вас не могут прожить и дня и которых некуда пристроить, позволяю брать с собой... Отказ поехать как прогул зафиксирован не будет. Но запомнится как предательство! — И он захохотал опять совершенно один. — Ну, коллеги!!! Я же не вагоны вас зову разгружать! Я и супругу свою возьму...

В течение нескольких дней после этого объявления ещё три члена коллектива сообщили о своей решительной невозможности ехать за город для более близкого знакомства с новым начальником. Одна сотрудница слегла с простудой, остальные, кто охотно, кто — напротив, неохотно, решили подчиниться. А шеф развил бурную деятельность. Было видно, что для него эти сборы, эта подготовка и грядущая поездка очень важны, значимы и он всё это очень любит. За день до поездки всё было продумано и подготовлено. Шеф купил или нашёл у кого-то на время палатки, тенты, необходимую утварь и раскладную мебель, спальные мешки, сетку для волейбола, газовые фонари, дымовые шашки от комаров,

243

топоры, бензопилу и нужное количество самых разнообразных рыболовных снастей.

Ещё он сам определился с местом проведения пикника. Как-то выяснил, разузнал, выведал у старожилов и местных знакомых да в придачу пообещал взять с собой какого-то отставного майора, который якобы знает все рыбные места в радиусе пятисот километров. Место было выбрано неблизкое.

— Полторы сотни верст прокатимся, — доверительно сообщил шеф нашему герою. — Далековато, но тут места у вас дивные! Красота, да и только... Но знаешь, ты на своей машине даже и не думай туда ехать. Твоя ракета туда не проедет. На брюхо сядет. Туда нужна техника посерьёзнее... Извини... В смысле проходимее.

Ему пришлось во многом начальнику помогать. За пару дней до назначенной пятницы он ездил по магазинам покупать на выданные деньги и по списку непонятные ему вещи. От поездки на рынок накануне пикника он решительно отказался, сказав, что ничего не понимает ни в рыбе, ни в мясе и не знает, как и что покупать на рынке. Он не солгал. Когда-то он питался дома, и только иногда родители посылали его в магазин. Последние годы жизни он либо ел где-то, либо разогревал купленные готовые блюда у себя дома, либо что-то разводил или доводил до кипения по инструкции на упаковке. Его молодой, оптимистично настроенный городской организм спокойно принимал такую пищу. Когда обнаружил некоторую дряблость живота и небольшие излишества на боках, он отнёс это на счёт того, что слишком много времени проводит за рулём, а также сидя на работе или лёжа дома. Но подумал при этом, что всегда успеет и сможет всё лишнее быстро убрать и привести себя в форму. Он не стал менять до поры ничего в своём образе жизни.

Начальник, услышав отказ ехать на рынок, отнёсся к его аргументам сочувственно, немного подумал и всё-таки приказал ему ехать.

Наш герой никогда не бывал на городском рынке в родном городе. И в других городах тоже. В каких-то европейских городах случались какие-то сувенирные рыночки. Не более того. Ему казалось, что он про свой город знает всё. Но рынок оказался территорией совсем иной жизни, чем та, которую он знал. Зато новый начальник на том рынке был как рыба в воде. И хоть он тоже именно на том рынке был впервые, но по всему было ясно, что он знает некую суть, которая присуща любому рынку и рыночку во всех городах, посёлках и на всех станциях бескрайней страны.

Новый шеф с первого шага, кажется, по запаху моментально сориентировался на местном рынке.

— Сначала мясо, — сказал шеф и потащил его куда-то с таким выражением лица, которое напомнило ему маминого кота.

На него обрушились мощные, ничем не прикрытые и незамутнённые, откровенные запахи. Воздух от этих запахов казался густым, и он не хотел им дышать. Голова моментально пошла кругом. Ему неприятно было вдыхать в себя дух разнообразного сырого мяса, дроблёных костей, кожи, жира и потрохов. Но другой дыхательной смеси не было в просторном, светлом и гулком помещении, наполненном только рядами столов, на которых лежало мясо, на которых его рубили, резали, взвешивали. Туши и части туш висели на крюках... Свиная голова улыбнулась ему с одного из столов, и он чуть не сбежал вон.

— Да, небогато у вас! Вот у нас... Я тебя свожу как-нибудь на рынок в наших краях, — быстро шагая вдоль столов, мужиков и тёток в, так сказать, «белых халатах» и скользя по мясу быстрым, опытным взглядом, тихонечко сказал начальник. — Ну ничего, ничего, найдём!

И он действительно нашёл. Вдруг остановился, уставился на мясо, которое, на первый взгляд, ничем не отличалось от остального.

— Так! — сказал шеф себе под нос. — Шашлычок у нас есть.

А ему хотелось скорее уйти от этого мяса и запаха. Ему не хотелось никакого шашлыка, и казалось, что он вообще больше никогда мяса есть не будет ни в каком виде.

Начальник вложил ему в руку тяжеленный пакет с купленным мясом и потащил за собой. А вокруг были такие лица и люди, каких он у себя в городе прежде не встречал.

В молочном павильоне стоял тот самый приторный запах, которого он не мог забыть после пробы парного молока. Только здесь запах был мощнее, масштабнее и жирнее. Люди в этом павильоне все были какие-то румяные, круглолицые и улыбчивые. И халаты были белее. Тут у него совсем закружилась голова и выступил пот на лбу. Он почувствовал лёгкий рвотный позыв. Благо там они были недолго.

— А теперь зелень поищем... — И шеф вытащил его на открытый воздух, туда, где были прилавки с плодами земли.

Среди местной зелени и овощей начальник затосковал.

— Да-а-а! За такие деньги люди тут такое едят!.. Ох, жалко людей! Как вы тут живы-то ещё?.. — И шеф засмеялся сам себе.

Но он и там нашёл всё, что хотел найти, остался почти доволен и шёл приплясывая. Были ещё покупки. Наш герой был обвешан пакетами, как вьючное животное.

— Ну и напоследок рыбки возьмём. Рыбалка рыбалкой, но уха у нас должна быть гарантирована изначально. — Тут шеф подмигнул и увлёк его в сторону рыбного павильончика, который был маленький, но запах от него волнами долетал до отдалённых уголков рынка при удачных порывах ветра.

То, что он решился шагнуть туда, где торговали рыбой, герой наш ощутил как личный подвиг. Там было темнее, прохладнее и хуже, чем везде до этого. Там пахло рыбным адом. Рыбьей преисподней. Но шефу там было интереснее всего.

— Так! — подойдя к одному из лотков, сказал он. — Это же налим? Какой красавец! А где такого добыли?.. Да-а-а?! А как вы его добываете?

И так было практически у каждого прилавка.

— Ой, это у вас сазанчики? Да какие знатные! А где добыли?.. Я тут приезжий. На недельку. Мне сказать можно. Я же уеду, — хитро улыбаясь, говорил шеф с продавцом. — А это у нас кто? Не может быть!!! Сиг! Где же вы сига такого взяли? Красота!.. Далеко небось ездили?.. Ничего себе!!! Далеко! Ой, а тут-то, полюбуйтесь, кто у нас, — с особой нежностью сказал шеф возле одного лотка. — Это линьки! Как же я люблю ловить линя! Хитрая, осторожная рыба. Зато клюёт как аристократ! А линя где взяли?.. Понятно! — промурлыкал шеф и повернулся к главному герою: — Эх, соскучился я по рыбалке! Завтра, чувствую, должен быть мой день! И вот увидишь... Погода будет дивная, как на заказ!

Шеф переговорил со всеми продавцами павильона, у всех что-то выведал, вынюхал, разузнал. Купил разной рыбы и остался доволен. А герою нашему среди мёртвой рыбы, напротив, стало совсем грустно и тошно.

Выйдя с рынка, он вздохнул полной грудью, а шеф быстро затащил его на веранду какого-то кафе и взял по бокалу светлого холодного пива. Он давно не пил пива и всегда считал, что не любит этого напитка. Но в этот раз он приник к бокалу как к сосуду со спасительным нектаром. Это было так вовремя и уместно! Это было просто то, что надо! Он вдруг почувствовал симпатию к своему шефу, хоть и совершенно не хотел ехать ни на какую рыбалку, а с радостью поработал бы, как положено, в пятницу. И дела были намечены, и вообще... К тому же вечером пятницы и в ночь на субботу город особенно цветаст, многолик и многообещающ. Но он вдруг решил ехать за город с лёгким сердцем и не жалеть об этом.

Когда он засыпал, за окном накрапывал дождик. Он вспомнил прогноз шефа и усмехнулся. А ещё он подумал, что, если дождь не закончится, поедут за город только они с шефом, вдвоём. Он хорошо знал свой рабочий коллектив.

Утром его разбудил не сигнал будильника, а яркий ранний июльский свет в окно. Утро было не просто хорошим... Утро было именно что роскошное.

К его удивлению, все собрались весёлые и очевидно желающие активного отдыха. И все были одеты особым образом. Такими своих коллег он никогда не видел. На всех были какие-то явно не новые, но чистые и уютные штаны и рубахи. На головах — весёлые летние кепки, фуражки и жизнерадостные косынки. А ещё на всех были какие-то поношенные кеды, или сандалии, или старые летние ботинки. Главный бухгалтер принесла целую корзину намытой до блеска редиски, морковки и гороха в стручках.

— Ребята, — объявила она, — по дороге будем грызть. Всё своё, сама растила.

Бухгалтер пришла с мужем, долговязым, медлительным и улыбчивым человеком. Водитель начальника, доставшийся ему по наследству от прежней руководительницы и в честь пикника освобождённый от руля, пришёл со своей барышней. Это была девица с такими формами, в маечке настолько ей не по размеру, что, невольно думая совсем о другом, наш герой проводил эту девицу взглядом и скользнул глазами по тем местам, которые, как он сам себя уверял, были совершенно не в его вкусе. Следом он уловил взгляд мужа бухгалтера, устремлённый туда же. Технический отдел в полном составе, то есть все два человека пришли с жёнами. Больше никто из коллектива своих родственников и знакомых не привёл.

Шеф сновал туда и сюда. Всем что-то говорил, смеялся, проверял всё напоследок.

Отставной майор, тот самый, о котором говорил шеф, то есть знаток рыбных мест, подошёл к каждому и пожал всем руки. Он представлялся по имени-отчеству, а потом отошёл в сторонку и курил. Одет он был в летний военный камуфляж. Казался независимым, но, очевидно, старался таким казаться.

Жена шефа появилась последней и оказалась молодой, миниатюрной, остролицей блондиночкой в летнем розовом спортивном костюме, с укладкой и макияжем. Она была высокомерно вежлива, а коллектив рассматривал её с недоумением. Он же почувствовал, что ему жаль, что у шефа такая жена.

Сам он был одет в синий с белыми полосками спортивный костюм и совсем новые кроссовки. Он подумал, что так одеться будет в самый раз. Кроссовки он вообще надел впервые. Белые, с белыми замшевыми носами. Увидев, что жена шефа одета в едином с ним стиле, он пожалел, что так вырядился. Он вспомнил старенькие свои джинсы и синий комбинезон, в котором обычно мыл машину. Вспомнил пару поношенных рубах, которые были бы теперь уместнее и удобнее.

Вся компания должна была разместиться в трёх автомобилях. Во внедорожнике шефа ехали сам шеф, его жена, а также водитель со своей девицей. Багажник этой машины был под завязку забит разными вещами, и даже на крыше находился большой и вместительный кофр. Пара человек должны были ехать в стареньком, но чистеньком, кажущемся вездеходом автомобиле майора. Остальные размещались в микроавтобусе, где-то найденном начальником, водитель которого безучастно дремал в кабине. Наш герой посмотрел на автобус и сильно пожалел о том, что решил ехать не на своей машине.

Перед стартом, а стартовали с парковки двора офисного здания, руководитель собрал всех в круг.

— Дорогие коллеги, и я очень надеюсь, что с сегодняшнего дня — друзья! — начал он громко. — Традиции вместе не только работать, но и отдыхать, праздновать что-то, вместе радоваться... Эти традиции уходят, забываются... А это обидно! Я очень надеюсь, что сегодня у нас получится праздник! Маленький, но праздник... Я специально не сказал вам и запретил тем, кто допущен к моей личной информации, сообщать, что у меня сегодня день рождения... — На этих словах все загудели. — И у меня сегодня почти юбилей. Мне сегодня стукнуло сорок пять! Так что все у меня сегодня в гостях!..

Тут все заговорили разом. Все поздравляли, качали головами, мол, разве можно устраивать такие сюрпризы, мол, как же без подарков. Кто-то предложил сразу выпить, но в дорогу решили не пить. В итоге всё же удалось рассесться по машинам и тронуться. Первым поехал майор, потом шеф, а следом автобус.

Стоило проехать всего каких-то минут десять, из города ещё не успели выехать, как женщины, а вместе с ними и муж бухгалтера, запели. Запели какую-то громкую и при этом унылую песню. На свет извлекли бутылку чего-то ярко-красного.

— Домашняя наливочка! — прозвучало гордо. — Начнём?! За шефа и за успех нашего предприятия...

Бутылку выпили очень быстро. Но она была не последняя. Наливка оказалась кислой, какой-то ягодной, но не противной. Скорее она была наивная. Он выпил несколько глотков из пластикового стаканчика и молча протянул его за добавкой. Пели довольно долго. Но потом устали, притихли и стали дремать или смотреть в окна.

Добирались трудно, часа четыре. Отставной майор в какой-то момент уверенно повернул не туда и долго в этом не мог признаться, видимо, даже самому себе. Заехали чёрт-те куда. Потом долго возвращались, долго искали нужный поворот. Заруливали в какие-то деревни. Шеф, когда случались остановки, всех подбадривал, веселил. А все действительно утомились и приуныли. Но после мытарств и тряски по пыльной, а то ещё вязкой от затяжных дождей грунтовой дороги их караван добрался-таки до места. Во всяком случае, майор уверенно остановил своё транспортное средство на пологом берегу извилистой быстрой речки и решительно вышел из кабины.

А погода стояла на редкость! Было по-настоящему знойно. Но ветер сдувал духоту и делал зной ласковым. Травостой на берегу гремел кузнечиками, в воздухе было полно всякого движения: бабочек, стрекоз, жужжащих крупных и мелких кровопийц, пчёл и прочей мелочи. Небо над речкой чертили птицы. Противоположный берег уходил вверх холмом с березняком. А поляну за спиной и по бокам обрамлял хороший, сочный лес.

Шеф выскочил из машины и раскинул в стороны руки, выражая радость и даже восторг. Из автобуса все выходили, а точнее, почти выпадали, громко тянули воздух носами и смачно потягивались. Сидевший рядом с водителем долговязый муж бухгалтера открыл свою дверцу, понюхал воздух и, оглянувшись на жену, молвил:

— Благодать, да и только!

В дороге наш герой задремал от тряски. Теперь он оглядывался по сторонам, ещё не выйдя из автобуса и из дремо́ты. Он на слово верил тем, кто восхищался красотой места, куда они прибыли. Он им верил, полагая, что им есть с чем сравнивать. Ему сравнивать было не с чем. Разве что с парком.

Он вдохнул влетающий в салон автобуса пахучий и очень тёплый воздух, оценил, что ни один запах в его смеси не выпячивается, не слишком силён и не забивает другие. Второй глубокий вдох он сделал с удовольствием и только тогда шагнул из автобуса в траву. Он прищурился от яркого солнца. Пожалел, что не взял тёмные очки, огляделся ещё раз и вздохнул с ещё большим удовольствием. Он так стоял и глазел по сторонам, пока все бегали, охали, ахали, подходили к реке и мочили в ней руки.

Он стоял и чувствовал удовольствие и от запаха, и от зноя, и от ветра, и от того, что видит и слышит вокруг. Он стоял, держась левой рукой за автобус... А муж бухгалтера, который вышел в свою дверцу и стоял рядом, вдруг радостно сказал:

— Э-э-эх! Красота! — И он с силой... и даже с оттяжкой захлопнул дверцу, из которой вышел...

Наш герой не понял, откуда вдруг пришла дикая, огромная и всепоглощающая боль. Точнее, увидел вспышку, а потом всё померкло... Померкло всё то, что было так хорошо, приятно и красиво.

Он не то чтобы не помнил — он и не знал даже, закричал он от боли или нет. Боль была такая, какую он прежде не испытывал. У него случались вывихи, ссадины, синяки, у него болели зубы. Сильно боле-ли однажды. Он попадал пару раз в аварии. Ломал ребро, руку и знал, что такое сотрясение мозга. Но то, что с ним случилось теперь... Такой боли он не пробовал. Он не сразу понял, что пришла она в него из большого пальца левой руки, которая попала под захлопнутую дверцу автобуса. Зрение, а точнее, воз-можность видеть и удерживать видимое в резкости, пришло чуть раньше, чем вернулся слух и возможность понимать звуки.

Он видел суету вокруг себя, слышал выкрики типа: «А палец-то на месте?», «Лёд, лёд нужен! Мы же брали с собой лёд!», «Мальчики, его в город нужно везти!», «Как ты? Как ты? Ну-ка на меня посмотри!» — и прочую чепуху в том же роде. А он не отвечал. Он просто целиком и полностью состоял из боли. Боли, в которой трудно было отыскать источник и эпицентр.

— Да жив я, жив, — сидя в траве, раскинув ноги в стороны и откинувшись на колесо автобуса, смог он сказать наконец.

Он ещё не видел свой палец. Левую руку держал шеф, стоя рядом с ним на коленях. Он держал его руку, задрав её вверх. А все, кто мог, разглядывали кисть и сам палец.

— Надо вверх руку держать, чтобы кровь отливала, — самым убедительным тоном сказал шеф. — Сейчас лёд принесут, и сразу будет полегче.

— Ой, Виталечка, родненький, прости его! — сквозь слёзы и заламывая руки, взмолилась бухгалтер. — Он же... — но она не договорила.

— Пошевели пальцем, — вдруг в самое ухо сказал отставной майор.

Но Виталий, а именно так звали нашего героя, не понимал, где находится его палец и как можно отдать ему команду пошевелиться. Он чувствовал только боль.

Вскоре принесли лёд. Целый пластмассовый холодильник для пикников. Кто-то взял оттуда пригоршню льда, уложил подтаявшие кубики в какую-то найденную тряпочку. Лёд приложили к пальцу, которого Виталий по-прежнему не видел. Он громко застонал и прижал колени к груди. Боль, кажущаяся невыносимой, стала резко сильнее и больше.

— Так! — передав лёд и руку Виталия в чьи-то другие руки, сказал шеф. — Случилась, можно сказать, производственная травма... Но жизнь на этом не заканчивается! Начинаем разбивать наш лагерь. Мужчины, за мной! Женщины... тоже за мной! — после этих слов он наклонился к Виталию. — Прости, — почти прошептал он. — Потерпи, будь мужчиной! Посиди здесь. Подержи палец в холоде. А мы пока всё устроим. Перелома вроде нету... Посмотрим, понаблюдаем... Сам понимаешь... Кто сейчас тебя в город повезёт?.. Но перелома всё-таки быть не должно... — И, повернувшись ко всем, он повысил голос: — Так! Начнём с разгрузки.

Его оставили одного сидеть в тени автобуса. Мокрую тряпку с тающим льдом вложили в правую руку вместе с левой, пострадавшей. Он не без страха посмотрел на палец, который сообщал всему организму ужасную боль. Он боялся увидеть непоправимое увечье, сильное разрушение. Но увидел побелевшую от холода, сморщенную от влаги свою, но какую-то чужую кисть и совсем целый большой палец, с белым рубцом через весь ноготь. Палец заметно распух и под ногтем стало темно, особенно вокруг рубца. Но то, что палец цел и на месте, сильно его успокоило. Правда, боль от этого не стихла.

Рассмотрев раненый палец, он локализовал боль и ощутил в нём тихую, но мучительную пульсацию. Боль в пальце была такой, что хотелось оторвать его и выбросить как можно дальше. Он, возможно, так бы и сделал, если бы это было осуществимо. Рассмотрев повреждение, Виталий застонал, лёг на бок в траву, поджал под себя ноги и зажмурился. Он чувствовал озноб, будто его всего окатили студёной водой, и ему хотелось высохнуть и согреться.

А вся компания шумно и весело занималась, кто чем. Звучал смех, громкие прибаутки, стучали топоры. Кто-то включил музыку. Музыка была плохая.

Над всеми звуками часто возникал голос шефа. Он то давал указания, то шутил, а то кого-то хвалил.

К Виталию периодически подходили. Женщины подходили поинтересоваться, как его палец, как он вообще и что ему нужно. Они же укрыли его чем-то и предложили обезболивающее. Сначала он от обезболивающего отказался, а потом принял предложенное. И через некоторое время сам попросил ещё.

Мужчины подходили реже и интересовались менее искренне. Только муж бухгалтера сильно переживал, но не знал, какими словами выразить своё сочувствие.

— Ну сколько будем изображать из себя убитого? — поинтересовался бывший майор.

Виталий хотел послать его куда подальше, но не стал этого делать. Шеф подошёл к нему после всех. Он присел на корточки рядом, взял повреждённую руку и внимательно осмотрел палец.

— Нет. Перелома определённо быть не должно, — резюмировал он. — Давай-ка вставай. Сейчас забинтуем палец, и, в силу возможностей, подключайся к работе. Труд, он спасает от всего! Труд — он... Сам знаешь, кого из кого сделал. Давай! Знаю, что больно. Но терпи, казак! Так у нас говорят... Палец-то зашиб хоть и важный, но их у тебя ещё много... Пальцев. Давай!.. Будь мужчиной! — сказал он, улыбаясь.

А Виталию стало обидно. Он видел, что внешние признаки травмы даже близко не соответствуют той дикой боли, которая разрывала ему мозг.

— Кто-нибудь у нас умеет бинтовать?! Кто-то может у нас квалифицированно наложить бинт? — перекрывая все шумы, крикнул шеф. — Вот! Обслуживаем сложнейшую медицинскую технику, а палец коллеге забинтовать не можем.

В итоге бинт нашли, и палец был забинтован. Виталий не понимал, зачем это делается, но подчинился. Его воля была полностью блокирована болью. Он очень хотел выключить музыку или уничтожить её источник, но не решался, да и сил не было. Ему дали ещё какого-то обезболивающего и кто-то настоял на том, чтобы он выпил коньяку из фляжки. Голова от таблеток, звуков и коньяка стала как цельнодеревянное изделие. Вот только мучительный пульс под бинтом усилился. Да и палец казался огромным и быстрорастущим. Виталий медленно ходил от группы тех, кто ставил палатку, к тем, кто возился с едой и устройством большого, общего, стола. Он искренне пытался быть полезен, но не мог быть таковым. Женщины его жалели, мужчины не обращали внимания.

— Виталик, родной, — вдруг ни с того ни с сего ехидно сказал ему водитель шефа, привязывая что-то к чему-то. Сказал негромко, но те, кто был рядом, услышали. — Не умирай! Стукнул пальчик — так не исполняй тут умирающего лебедя. Не порти шефу праздник. Не маячь. Иди, сядь где-нибудь. Отдыхай...

У него от неожиданности и обиды побелело в глазах, но он спокойно и тихо ответил:

— Я тебе не родственник... Нашёл родного! Я выслушаю твой совет, когда ты научишься ездить на машине... А то новый шеф до следующего праздника не доживёт...

Тот ему что-то ответил, но ему было неинтересно. Он отвернулся и увидел, как радостный начальник тащит от леса срубленное деревце, а рядом с ним, покачивая формами, вприпрыжку семенит румяная подруга водителя. Виталий улыбнулся не без злорадства.

А поляна очень быстро совершенно преобразилась. Были установлены и отлично натянуты три большие палатки и одна маленькая, рядом с которой воссела под большим зонтом жена шефа и стала читать журнал. Шеф иногда к ней подбегал, чтобы совершить какую-то любезность, но она шипела на него громким шёпотом. Майор занимался рыболовными снастями. Натянули волейбольную сетку, надули резиновую лодку. Горел костёр. Большой. Над ним висели два ведра, из которых шёл пар. Длинный стол был, можно сказать, сервирован. Бухгалтер с мужем играли в бадминтон. Всё было налажено, будто так стояло давно. Всё шло к обеду, а точнее, к застолью. Но Виталий не находил себе места. От выпитых таблеток и пульсирующей, то обостряющейся, то стихающей, боли его клонило в сон. Вернее, в забытьё. Сама мысль о еде вызывала тошноту, и ком подступал к горлу. Да ещё очень мешали жить назойливые кровососущие и кусающие летающие твари. Порывы ветра их сдували, но во время безветрия они донимали сильно. А у него не было сил с ними активно бороться. Палец пульсировал под бинтами, как рвущаяся на свет мумия.

— Так! — послышался от костра голос шефа. — Сейчас организуем угольки и шашлычок! Минут через двадцать — торжественный обед... Потом — свободное время... Кто захочет — сон-час... Ну а потом спортивные состязания и вечерняя рыбалка. Тут уж, простите, шума я не допущу... Ну а потом костёр, ночная уха и... фейерверк! В честь... нашей замечательной компании!

Во время этой речи Виталий подошёл к весёлому и громкому шефу, подивился его энергии и задору. Он дождался, пока тот закончит объявление.

— Простите! Что-то я совсем расклеился, — как можно убедительнее сказал он. — Я, пожалуй, совершенно бесполезен сегодня. Вы не обижайтесь... Я бы прилёг сейчас...

— А как же стол?.. Обед? — развёл руками начальник.

— Спасибо, но я совершенно...

— Что, так больно?

— Честно говоря — очень.

— Да-а-а! Надо же как не повезло! — покачал кудрявой головой шеф. — Ты водочки со мной прямо сейчас выпей. Холодненькой. Всё-таки юбилей. И иди приляг... Неужели всё-таки перелом?

— Не похоже, — сказал Виталий и пожал одним плечом. — Но, когда ребро ломал, так больно не было.

— Ты палец речной грязью помажь, — уверенно сказал вдруг оказавшийся рядом майор. — Грязь боль вытягивает.

— Спасибо, — сказал Виталий.

— Ляг в жёлтую палатку. Полежи, — сказал кто-то.

— Спасибо, — ответил он и побрёл к жёлтой палатке.

— А как же выпить-то со мной? — услышал он голос шефа.

Виталий вернулся, подождал, пока шеф принесёт бутылку водки. Майор тоже не отказался выпить. Себе шеф налил совсем немножко, а Виталию и майору изрядно.

— Крепче уснёшь, — сказал шеф. — Считай, что это фронтовые сто грамм. — На этих словах майор криво усмехнулся.

— С днём рождения! И простите за доставленное неудобство, — тихо, но вполне искренне сказал Виталий.

— Да брось ты. Жаль, что так вышло, — по всей видимости, искренне сказал шеф. Они выпили. Водка зашла Виталию в горло с большим трудом. Майор дал ему запить воды, и он побрёл к палатке, удивляясь тому, как мало в нём сил и как много боли в таком маленьком, в сущности, пальце.

В палатке было душно. В ней кружили и гудели залетевшие насекомые, грудой были свалены спальные мешки и матрасы. Он понял, что здесь не сможет ни уснуть, ни успокоиться. Тогда, никем не замеченный, он нашёл себе место возле автобуса. Тень теперь была с другой стороны, и автобус скрывал его от компании, собиравшейся у стола. Он притащил себе матрасик и устроился на нём, укрывшись от летающих кровопийц с головой лёгкой тканью, которой его укрывали прежде. Он свернулся калачиком на левом боку, отложив страдающую руку чуть в сторону, закрыл глаза, почувствовал сквозь не проходящую, но притупившуюся, пульсирующую боль предательское головокружение и довольно быстро ушёл в забытьё.

Нельзя сказать, что потом он проснулся — проснулся, когда уже свечерело и легли летние сумерки. Правильно сказать, что он очнулся или пришёл в себя. Во рту было гадко и сухо, в голове стояла муть. Но из забытья его вывел тяжёлый, похожий на удары в огромный барабан невыносимый пульс в травмированном пальце. Этому пальцу за время забытья стало страшно тесно в бинтах. Бинты сковывали палец и многократно усиливали боль. Он встал на колени, отмахнулся от налетевших к вечеру комаров, прислушался и услышал тишину. То есть звуков леса, травы, реки, птиц было много. Но не было человеческих звуков. Человеческих шумов не было. А значит, стояла тишина. Тогда он встал на ноги, вышел из-за автобуса и огляделся.

В лагере не было видно никакого движения. Машины начальника на месте он не увидел, повертел головой и не нашёл её вовсе. Резиновой лодки на берегу тоже не оказалось. Он увидел её довольно далеко вверх по течению, на середине реки. В ней виднелись два неподвижных силуэта. В стороны от лодки торчали удочки. За столом, на котором было почти пусто, стояли несколько бутылок да пара кастрюль, сидели главный бухгалтер и бухгалтер. Главный бухгалтер курила. Они неслышно и уютно разговаривали.

Виталий шагнул обратно, укрылся за автобусом и справил малую нужду. Он не пошёл к лесу и не подумал о приличиях и церемониях. Если бы палец не болел, он, конечно же, сбегал бы к ближайшим деревьям. Но палец сильно болел. Одной рукой управляться было сложно.

Потом он подумал о том, что надо бы помыть руки. Но как и где, придумать не мог. Мыть руки в реке, а потом мыть их после реки он не видел смысла. Река для него не была той водой, которой можно мыться. Да и мыло нужно где-то взять. Он не мог решить, где и как. Но вот от бинта необходимо было избавиться немедленно. Бинт стягивал палец туго, и от этого боль становилась нестерпимой. Виталий решительно пошёл к столу.

— Виталечка, милый, ну как твой пальчик? — спросила громким шёпотом бухгалтер.

— Ой! А мы про тебя совсем забыли! — так же прошептала главный бухгалтер. — Вот свинтусы мы какие...

«Ну и слава Богу, что забыли», — подумал он.

— Ну как ты? — поинтересовалась бухгалтер.

— Что-то лучше, кажется, не стало, — признался он. — Надо бы бинт снять. Уж очень туго. Помогите, пожалуйста, а то сам не могу. Узелок такой маленький... А где все? Почему так тихо? И куда босс уехал?

— Дай-ка посмотрю узелок, — сказала главный бухгалтер. — Э-э-э, да я его тоже не подцеплю. Надо разрезать. Где ножи-то у нас? — спросила она, судя по тону, у самой себя. — А-а! У речки, где посуду мыли. Погоди, сейчас принесу, — сказала она и пошла к реке.

— Ой, пока тебя не было тут такой сюжет получился, — быстро зашептала бухгалтер, жестом пригласив его наклониться поближе. — Жена начальника устроила ему такую сцену, прям при всех... А он...

Мы тут все удивляемся. Такой тряпкой оказался... Жена его приревновала, что ли... Так он своего водилу на своей машине отправил, чтобы тот свою девочку отвёз в деревню и посадил на автобус. Приказал отправить её в город, а самому вернуться. А тот подчинился... Ещё хуже тряпка! Жалко девчонку, она такая весёлая была, радовалась. Что за мужики?! Шеф, весь мрачный, с моим уплыли рыбачить. Этот военный напился и спит... Наши девчонки угомонились и тоже спят. Кто-то из ребят пошёл туда. — Она махнула рукой вниз по течению. — Спиннинг хотят покидать... Шофёр, что с автобуса... Ой, я и не знаю даже. Спит, наверное, тоже где-то...

Эту информацию она выдала очень быстро и чётко, пока главный бухгалтер ходила за ножом.

— Тебя же покормить надо, — сказала та, вернувшись к столу. — Очень всё вкусно было. Осталось. Правда, остыло... Ну-ка, давай сюда свой палец...

Она осторожно срезала узелок, потянула конец бинта, и бинт серпантином стал разматываться с пальца. Он сразу почувствовал некоторое облегчение. А потом бинт закончился.

— Батюшки! — только и сказала бухгалтер, увидев открывшийся палец.

— Ой! Миленький мой! — сказала главный бухгалтер, прижав руки к груди.

Он и сам готов был сказать что-нибудь в этом духе. Палец изменился совсем. Он стал непропорционально кисти большим. Огромным. Под ногтем и вокруг ногтя, который теперь, казалось, уменьшился в размерах, стало черно. И весь палец побагровел и выглядел принадлежностью не его, а какого-то другого, чужого и безобразного тела.

Женщины повздыхали, пожалели его, посетовали, что никто не отвёз травмированного в город сразу. Успокаивали, что надо потерпеть, а завтра, пораньше, его отвезут... Сказали, что у них есть знакомый травматолог, который примет хоть когда, даже и в субботу. Охая и причитая, они поставили перед Виталием тарелку, положили салата из свежих овощей, варёной картошки, несколько кусков уже совсем остывшего шашлыка. Бухгалтер умело зажгла костёр на месте прогоревшего, приладила чайник.

Он скорее из вежливости поковырял вилкой овощи, пожевал картошки, съел кусок мяса. А сам думал только о том, что если бы здесь была его машина... Его красная, быстрая, знакомая каждой деталькой, запахом и звуком... Как бы он хотел сесть в неё

271

и уехать от этой реки, леса, от этой еды... И от боли! Он даже не вспомнил, что ест немытыми руками.

Тем временем согрелся чай и вернулась машина начальника. Виталию налили чаю со смородиновым листом, предложили выпить чего-то покрепче, но он твёрдо отказался. Водитель начальника, вернувшись, поинтересовался, где шеф. Ему молча указали на реку и на резиновую лодку. Тогда он закурил, ушёл к реке и уселся там на самом берегу. Быстро темнело. Спавшие в палатках стали просыпаться и выбираться на воздух. Бывший майор, весь помятый, вылез из своего вездехода, подошёл к столу, выпил воды, и почти бегом припустил к лесу. Вскоре он вернулся вальяжно. В огонь подбросили дров. Все заговорили громче.

Виталий спрятал левую руку под стол, чтобы никто не видел его страшного пальца. Лагерь совершенно ожил. Кто-то пил чай, кто-то разговаривал и смеялся, а кто-то интересовался, как наладить снасть и порыбачить.

Комары начали, что называется, заедать. По рукам пустили вонючую жидкость от комаров. Главный бухгалтер щедро побрызгала Виталия с ног до головы той жидкостью. Никто не интересовался его травмой. Он был этому рад. Вот только он решительно не понимал, что делать дальше. Ничего из возможного в той ситуации он не хотел категорически. А хотел он только невозможного: сесть в свою, именно в свою, машину, рвануть с места... и чтобы боль прошла!

Вдруг все зашумели и быстро зашагали к реке: шеф возвращался. Резиновая лодка подгребала к берегу. Коллектив пошёл встречать начальника. Сидеть за столом остался только мрачный и весь помятый майор. Он, громко швыркая, пил чай из кружки. Лодка ещё была метрах в двадцати от берега, как все закричали. Громко спрашивали: как улов, будет ли уха? Шеф не отвечал, и силуэт его в отблесках заката был неподвижен и строг. Вёслами работал муж бухгалтера.

— Нет здесь никакой рыбалки! — послышался наконец голос шефа. — Хоть бы одна поклёвка! Что за места у вас тут?! — Голос звучал раздражённо и капризно. — Только комарьё. Как вы тут вообще живёте?! Я бы в наших краях...

— Брюзжит как баба, — сам себе под нос тихо сказал майор. — Свою приструнить не может, так наши места ему не угодили. Истеричка... Болтун тепличный, бля...

Виталий тут же подумал, что в первый раз согласен с неприятным ему отставником. Ему ещё сильнее захотелось покинуть эту компанию.

— Простите, — сказал он майору. — У вас какой-нибудь удочки не найдётся? Самой простенькой, с поплавком. Хочу пойти посидеть у воды.

— Покажи палец, — сказал майор.

Виталий показал. В свете костра палец выглядел совсем страшно. Майор внимательно его разглядел.

— Ноготь слезет. Это точно. Больно, знаю. Ты, всё же речной грязью намажь. Или в этой грязи у берега подержи. Будет полегче... А удочку найду. Там, за холмиком, есть заводь, можно и с поплавком посидеть. Только темно уже.

А на берегу все о чём-то говорили разом, вытаскивали лодку. Потом пришли к столу. Шеф ворчал, капризно и неприятно. Зажгли газовые фонари.

Из темноты явились две фигуры. Это парни из технического отдела вернулись со своего промысла. Виталий их знал с первого дня работы в конторе. Они были его постарше. Виталий никогда не видел их такими радостными.

— Ну, что у вас тут? — весело и игриво спросил один. — Как улов, как успехи?

— Ни-че-го! — ответил шеф и отмахнулся. — Рыбы тут у вас нет совсем. Тухлое место...

— Да?! — ещё веселее спросил другой. — А вот это что? Если это не рыба, то я папа римский.

На этих словах один показал садок, в котором билась пара крупных окуней, а ещё несколько лежали без движения. Другой же предъявил большущую длинную рыбину, которую держал за жабры.

— Шикарная щука! — сказал муж бухгалтера, а все женщины завосхищались разом.

— На закате стала брать. На самую простенькую блесну, — радостно сказал один из вернувшихся. — Жаль, стемнело... Но на уху точно хватит.

Виталий не без удовольствия смотрел на физиономию шефа.

— А где моя супруга? — едва коснувшись взглядом улова, спросил шеф.

— Она как в палатку ушла, так и не выходила. Мы её не видели, — сказала бухгалтер.

— Хорошо, — сказал шеф. — Я сейчас... И будем спасать праздник. Как-то сразу не заладилось всё сегодня... — Тут он посмотрел на Виталия. — В следующий раз пальцы не суй куда не надо. А то как началось с тебя... — В этот момент шеф нашёл глазами водителя. — А-а-а, ты вернулся? Всё нормально?

Тот кисло пожал плечами, кивнул и отвёл взгляд в сторону.

— Ну, я сейчас... — громко сказал шеф и зашагал к своей маленькой аккуратной палатке.

— Так как насчёт удочки? — спросил Виталий майора.

Майор кивнул, и они пошли к его машине. А жизнь и веселье снова возродились. Костёр полыхал, искры летели к звёздам. Снова звучал несдерживаемый смех, снова включили музыку. Кто-то из мужчин громко предложил выпить.

Майор выдал Виталию лёгкую пластиковую раздвижную удочку, с уже налаженной леской, поплавком и прочим. Дал коробочку, в которой было несколько отделений с разной наживкой. Он порекомендовал белые шарики. Ещё он дал фонарик, ножик и пластиковое ведро.

— Это под рыбу, — сказал майор. — Темно, конечно, ни черта ты не поймаешь. Но без надежды рыбачить нельзя. Без крючка можно, без надежды нельзя. Э-эх, и крючок-то для этой речки маловат... Хотя главное — процесс. И палец грязью намажь... Да, заводь там. —

Он указал рукой. — Тихая, глубокая... Но долго не засиживайся. Толку нет. И вот возьми с собой, чтобы не заели. Это от комаров. — И майор дал ему тощенький и сильно помятый тюбик.

Виталий сложил всё ему выданное в ведро и пошёл в указанном направлении. Когда он отошёл по влажной от росы и шумной траве от света костра и фонарей, сначала стало совсем темно. Он включил фонарь, но узкий его луч ощупывал траву и кусты, не проникая в заросли. Фонарь был бесполезен. Ничего нельзя было понять. Виталий погасил фонарик, постоял и постепенно приморгался к темноте. Стало виднее. Луна светила ярко, и вдали, вверх по течению, там, куда он шёл, видны были далеко-далеко белые всполохи света. Он такого прежде не видел и не знал, как это называется.

Он прошёл по маленькому холмику и стал спускаться вниз. Ниже трава была высокая, в пояс. Он осторожно ступал вперёд и вдруг услышал хлюпанье под ногами. Тогда он повернул, шагнул на сухое, прошёл несколько шагов и набрёл на узенькую, не протоптанную, а скорее промятую в траве тропинку. Тут явно ходили, и не раз. Тропинка провела его мимо высоченного камыша и упёрлась в узкий бережок. Камыши он знал. В парке на озере росли камыши, но не такие рослые.

Он вышел на берег, и перед ним открылась заводь. Стало сразу светлее. Светили две луны. Яркая и чёткая сверху, зыбкая и холодная снизу, из воды. Звёзды тоже упали к его ногам. Звуки голосов и музыки сюда долетали из-за холма едва-едва и прерывисто. Он вдохнул запах воды, камыша и услышал громкий свой вдох. То, что он видел, было бесспорно и безусловно красиво.

Палец стал болеть яснее. Вообще всё стало отчётливее, каждый производимый им звук. Он вспомнил, как мужики на реке не любили шум, и постарался действовать тише. Даже дышать. Место, куда он пришёл, было обжито и подготовлено к рыбалке кем-то, кто облюбовал его раньше. Из воды у берега торчала палка с небольшой рогатинкой сверху. Здесь кто-то ставил удочку. На узком бережке он обнаружил круглый срез дерева, этакий пенёк. Кто-то устраивал себе сиденье. «Супер!» — подумал он.

Держа фонарик во рту, как герой американских фильмов, он не без труда, орудуя полноценно только одной рукой, вооружил свою удочку. Он старался совсем не шевелить больным пальцем, но небольшие движения всё равно машинально случались, и он кривился и стонал от боли. Самое трудное было насадить на крючок маленький белый шарик из коробочки с наживкой. Он испортил несколько, но в конце концов справился. Забросить снасть удалось не сразу. Помогли давние и, казалось, забытые навыки. Он смог-таки закинуть удочку так, чтобы поплавок оказался хоть как-то виден в лунном отражении. «Забросил на Луну», — подумал он и улыбнулся.

Пристроив удочку на рогатинку и усевшись на пенёк, он замер и затих. Комары гудели вокруг, но не садились ни на голову, ни на лицо, ни на одежду. Та жидкость, которой его побрызгала главный бухгалтер, всё же действовала.

Ветер совсем не залетал туда, где он рыбачил. Ряби на воде не было. Ему было прохладно, но не зябко. Он захотел посмотреть на часы, но их на руке не оказалось. Видимо, снял или сняли, когда стряслась неприятность с пальцем. «Утром найдутся», — подумал он. Также он вспомнил, что телефон положил в свою сумку ещё по дороге, когда заехали так далеко от города, что связь прервалась.

Он посмотрел в небо. Луна была большая, но не идеально круглая. Очень большая. Такая, какой над городом не бывает. «Чепуха, — подумал он. — Расстояние до луны здесь такое же, как в городе. Она не может быть здесь больше или меньше. А отчётливее она здесь видна, потому что рядом нет источников света». Он так подумал, но при этом видел, что луна явно и много больше, чем над городом.

Он попытался вспомнить, можно ли по луне и звёздам определить приблизительно, который час, как по солнцу. Но не вспомнил. Не вспомнил, однако продолжил долго смотреть на луну. На ней были видны какие-то затемнения, похожие на материки или горные массивы, как на глобусе. От пульсирующей боли в пальце казалось, что и луна пульсирует. И звёзды пульсировали. Одна звезда явно мерцала то холодным звёздным светом, то красноватым. Он сначала даже решил, что это самолёт. Но звезда не двигалась, и он понял, что это звезда.

Вдруг совсем недалеко от берега, возле стоящих в воде камышей, что-то или кто-то всплеснул. Всплеснул резко и громко. Он вздрогнул, устремил свой взгляд туда, но увидел только расходящиеся по заводи маленькие волны. Луна в воде закачалась и распалась на части. Вместе с луной закачался его поплавок. А всплеснуло что-то немаленькое. Слух и зрение обострились, дыхание стало совсем тихим. Но плеск не повторился. А волнение на воде затихло. Тогда он поднял удочку, посмотрел на нетронутую наживку и забросил снасть на прежнее место.

За спиной у него ритмично посвистывала какая-то птица, с другого берега заводи и с реки доносились гулкие вздохи и писки других неизвестных и невиданных им птиц. Откуда-то из темноты иногда слышались тихие всплески, совсем не такие значительные, как тот, что случился рядом. В глубине камышей что-то периодически чавкало. Он не боялся этих звуков. Он знал, что в этих местах, в его родных краях, опасных и страшных тварей типа анаконд, аллигаторов или гигантских кальмаров не водится. Он не бывал за городом в своих родных местах, но всё же знал, что бояться в общем-то нечего. Виталий, возможно, и нафантазировал бы себе в темноте и в ночных звуках невесть что, но боль в пальце не давала свободы фантазии.

Из-за холма доносились взрывы смеха, иногда женский смех доходил до визга. Громкие мужские голоса что-то порой выкрикивали. Потом до него долетели звуки гитары и пения. Песню узнать было нельзя. Он не мог разобрать ни слов, ни мелодии. Но порадовался тому, что он не там, где играют и поют.

Так он и сидел. Мысли сквозь боль ползли медленные и странные. «Вот, в сущности, если прикинуть рационально... — думал он, — Палец, даже так называемый большой палец... Это же меньше процента моего тела. Намного меньше процента. По сути — это периферийный отросток. Он не является жизненно важным органом. Он далеко от сердца, мозга и других важнейших узлов и центров моего внутреннего устройства... Палец! Чепуха!.. А делать ничего не могу. Думать нормально не могу. Спать. Жить и дышать нормально не могу. Все функции наперекосяк, и настройки сбиты».

Ещё он подумал снова о своей машине. Вспомнил свет панели приборов. Радостный, дружеский и знакомый свет. Вспомнил удобное, будто именно для него сделанное кресло, вспомнил, как руки лежат на руле, а ноги на своих местах. Он подумал, как здорово бы сейчас подъезжать к городу по трассе, видеть городские огни, подсвеченное этими огнями небо.

Он думал так и вдруг не увидел поплавка на том месте, где тот до этого торчал неподвижно. Он ничего не ждал от этого поплавка с самого начала. Он шёл к заводи не для того, чтобы рыбачить.

Ему просто нужен был повод уйти и хоть какое-то занятие. Он бросил взгляд на то место, где прежде находился поплавок, не для того, чтобы проверить, клюёт или не клюёт. Он попросту не обнаружил его на месте.

Сердце замерло. Он затаил дыхание и весь подался вперёд. Рука машинально потянулась к удилищу. Он быстро скользнул взглядом по поверхности воды, там, где в принципе мог оказаться поплавок. Но его не было видно. Тогда он схватил удилище и рванул его вверх.

Ему тут же вспышкой вспомнился его главный трофей — единственный окунь. Рука, которой он схватил удочку, с восторгом наткнулась на живое, упругое, но податливое сопротивление. Где-то там, в темноте, в воде, на крючок попалась рыба. В этой ночи, под этой луной, она пригрезилась ему гигантской.

От неожиданности, от отсутствия опыта и от огромной первобытной радости он рванул что есть сил. Раздался плеск. Рыба, которую он почти не видел, вылетела из воды. Он описал удилищем дугу, рыба сорвалась с крючка, шлёпнулась к его ногам рядом с водой и забилась. Он отшвырнул удочку и бросился на рыбу. Он упал на колени и накрыл двумя руками бьющееся, скользкое существо. Он забыл беречь палец, забыл о боли. Он, если бы понадобилось, накрыл бы рыбу телом.

Рыба оказалась совсем не огромной, но всё же немаленькой. В одной руке он удерживать её не мог. Он прижимал её двумя руками к земле и искал глазами ведро. Нашёл. Недолго думая, взял рыбу и прижал к груди левой травмированной ладонью. Будучи весьма опрятным, можно сказать — чистюлей, он даже не подумал о том, что пачкает новый спортивный костюм. Он и о новёхоньких белых кроссовках забыл. Упав на колени, он погрузил замшевые белые носы в прибрежную глину.

Виталий так и прижимал свою рыбу к груди, пока брал ведро, пока, изогнувшись дугой и намочив новую обувь, зачерпывал воду. Только после этого, боясь упустить скользкую рыбу, он двумя руками осторожно опустил добычу в ведро.

В ведре было темно и тихо. Он ничего не мог разглядеть. Посветил туда фонариком и увидел в светлом ведёрке тёмную красивую спину и стремительный рыбий силуэт. Рыба шевелила плавниками и слегка поводила хвостом, оставаясь неподвижной. Что это за рыба, он понять не мог. А было не просто интересно, а очень интересно это узнать. Ничего важнее для него в тот момент не было.

Он присел возле ведра, взял в рот фонарик и почувствовал во рту запах и даже привкус живой рыбы. Но это его не отвлекло. Потом он сунул правую руку в ведро, но рыба заметалась и забилась. Только двумя руками ему удалось её схватить и повернуть набок.

Тело рыбы без плавников и хвоста было размером с его ладонь. Но с оперением она казалась больше. Рыба была похожа на тех карасей, что он лавливал в парковом озере, но казалась круглее. Чешуя её в свете фонаря виделась тёмно-золотой и с лёгким зеленоватым оттенком. Не бело-жёлтая, как у карасей. Да и чешуйки были маленькие, уложенные аккуратно, будто рыбу одели в идеальную кольчугу тончайшей работы. Плавники и хвост были тоже меньше относительно размеров тела, чем у карасей. И глаза маленькие. И рот. Вот только губы у его рыбы были толстенькие и какие-то симпатичные. Рыба беззвучно хлопала ими, и он опустил её в воду.

Рыба была прекрасная! Ему так хотелось показать её всем, похвастаться и узнать, как она называется. Он почему-то был уверен, что поймал редкую и необычную рыбу.

Он даже подумал, не сходить ли ему в лагерь, как вдруг в небе за холмом разорвалась яркая вспышка и раздался грохот. Он присел от неожиданности, но тут же вспомнил про обещанный шефом салют. Он сразу передумал идти в лагерь, откуда снова взлетел огненный разноцветный шар, снова громыхнуло, и раздались радостные крики.

Он любил городские праздничные фейерверки, сам не прочь был с компанией позапускать в небо ракеты. Там, на городском фоне и в окружении домов, казалось, что салюты улетают высоко-высоко, выше крыш, и занимают всё небо. А здесь, под луной и звёздами, рядом с тёмной рекой и лесом, со всполохами на горизонте... Этот салют казался детской хлопушкой. Фейерверк тут виделся ему глупой шалостью, пьяной выходкой, неуместным чем-то. Грубым. Вульгарным.

А ещё он подумал, что этот салют испортит ему только что начавшуюся рыбалку.

Вместе со вспышками вернулась и боль. Он в азарте забыл беречь палец, и тот напомнил о себе сильно и внятно. В свете фейерверков он разглядел свои грязные руки, мокрые, испачканные колени и кроссовки. При очередной вспышке он осмотрелся и нашёл досточку, которая лежала возле пенька в траве. Он взял её, положил у самой кромки воды, встал на неё коленями и потрогал воду правой рукой. Вода была не холодная, а именно что прохладная. Тут в небе снова взорвался огненный шар. Он увидел салют в воде прямо перед собой. Его рука касалась цветных огоньков. Трогала и погружалась в них. А ещё он увидел, что вода прозрачная-прозрачная и немного чайного цвета. А дно под водой гладкое и полого уходит в невидимую глубину. Последняя вспышка погасла, на время стало ничего не видно, и после грохота фейерверка зависла полная тишина.

Он опустил обе руки в невидимую воду, и ему показалось, что вода зашипела от прикосновения больного пальца, как от раскалённого металла. Как же приятно было это погружение воспалённой и страдающей части тела в прохладу воды! Боль почти отступила. Он осторожно помыл левую руку правой, а правую ополоснул, стараясь не шуметь и не пугать рыбу.

Потом какое-то время он выпутывал леску из высокой травы, в которую швырнул удочку, насаживал на крючок наживку, забрасывал. Луна в воде заметно сместилась и стала тусклее. После того как поймал рыбу, он смотрел на поплавок неотрывно. А тот был едва различим в темноте. Ему несколько раз мерещилась поклёвка, и он сразу нагибался к удилищу, но убеждался, что ему только показалось. Какое-то время он постоял у воды коленями на доске и подержал палец в прохладе. Так было менее больно, но колени затекали, и он почувствовал, что замерзает, словно втягивая в себя водную прохладу через палец.

А ночь почти затихла. В лагере за холмом не стало никаких голосов, никакой музыки, никаких человеческих шумов. Всплески в заводи и по реке почти прекратились. Птицы посвистывали, но дальше и тише.

И Виталий нахохлился на своём сиденье, замер, уставившись в то место, где так же, как он сам, неподвижно торчал из воды поплавок. Даже комары забыли про него. Он, наверное, задремал бы, если бы не боль, к которой невозможно было привыкнуть. Виталий чувствовал, как устал от этой боли, он хотел бы от неё куда-нибудь спрятаться, отгородиться, избавиться любым способом. Но такого способа он не знал. А стоять на коленях у воды и мочить палец он уже не хотел. Вода хоть и облегчала боль, но не радикально и ненадолго. Он устал, просто устал.

Ему стало жалко себя, никем не видимого в темноте и всеми забытого. Он вдруг понял, что его родители, друзья, знакомые, девушка, с которой он познакомился три месяца назад и всё не мог понять, что же к ней испытывает... и та, которую он любил целых два года, на которой чуть не женился... Никто в мире, кроме какого-то отставного военного, которого он даже не помнил, как зовут... Никто не знает, где он сейчас, что с ним. Никто не знает, как ему больно и как он устал.

Он почувствовал свою беззащитность и слабость. Он вдруг впервые в жизни мощно понял, как хрупка жизнь, как эта жизнь, все планы, все представления об устройстве этой жизни, все серьёзные большие составляющие этого устройства... Всё уязвимо и может зависеть от какого-то пальца левой руки.

Он ощутил себя слабым и очень плохо сделанным. Сделанным непродуманным и хрупким. Как специалист по сложнейшей медицинской технике он мог это ощутить.

Ему всё увиделось нелепым и маленьким. Перед той огромной темнотой, в которой он сидел, даже его город показался ему маленьким. Город, который был целиком и полностью средой его обитания. Город не показался ему безобразным перед красотой звёздного неба и перед гладью воды. Нет! Он показался ему именно маленьким. Крошечным и беззащитным, как он сам. Стоило повредить один из двадцати пальцев, и вот он беспомощен и ни на что не годен.

Ему даже имя своё показалось нелепым. Нелепостью открылся сам факт существования имени. Он впервые понял своё имя не как имя, а как странное, неблагозвучное название, которое ему дали, его не зная. А такое же название носят многие другие люди, совсем на него не похожие. Разные. Какая глупость!

— Господи, как же больно-то мне... — совсем тихо, одними губами, прошептал он и стал тихонько покачиваться на своём пеньке. Так он качался довольно долго.

Потом замёрз. Встал, чтобы размяться и увидел, что небо побелело. В небе появился белёсый свет, и стало всё видно. И хоть света было совсем мало, чуть-чуть, капелька, но видно стало всё и далеко. Как пропустил момент появления света, он не понял. Он оглядывался по сторонам и не узнавал того, что видел. Он не так всё это представлял в темноте. Заводь оказалась меньше, чем ему казалась. Много меньше. Лес оказался дальше. А Виталию в темноте чудилось, что лес у него сразу за спиной. Вода вдруг стала зеркальной. Только у самого берега можно было заглянуть под её поверхность.

Он отошёл немного в сторонку от того места, где сидел. Пописал, вернулся, сполоснул руки в воде, и от нечего делать поднял удочку.

Каково было его удивление, когда на крючке оказалась маленькая трепещущая рыбка. Последние минут пятнадцать он вообще не смотрел на поплавок.

— Вот те здрасте!— сказал он. — И зачем это мы прицепились?

Виталий хотел как можно аккуратнее снять рыбку с крючка. Но она, несмотря на свои размеры, глубоко заглотила крючок, да и руками он не мог пользоваться в полной мере. К своему сожалению, он явно нанёс рыбке серьёзные увечья, прежде чем смог её отцепить.

— Прости, брат, — сказал он тихо. — Нам нынче обоим не везёт.

Он бросил рыбку в воду, метрах в трёх от берега. Та вроде поплыла, но замерла и всплыла боком. Снова встрепенулась и попыталась двигаться, но опять всплыла.

— Да, брат! Тебе не повезло больше, — пробормотал Виталий. — Жаль. Я не хотел. Правда...

Он стоял, смотрел на покалеченную рыбку, на дело рук своих...

Вдруг в воде — это он увидел краем глаза — большая, тёмная тень с немыслимой, едва уловимой взглядом скоростью метнулась от камышей вдоль берега. Длинная, стремительная, жуткая тень. Раздался громкий всплеск. Полуживая рыбка и тень исчезли, будто их и не было.

Он стоял неподвижный и потрясённый. Стоял, впервые став свидетелем той жизни, которая существует и идёт себе без его взгляда и участия. Непостижимая, бездонная и бескрайняя, огромная жизнь. Если бы мимо прошёл динозавр, вряд ли он был бы потрясён больше.

Так он стоял и думал. Рыбачить сразу расхотелось. Ясно же было, что такую рыбу на его удочку не поймать. А как сказал майор, без надежды рыбачить нельзя.

Возвратиться в лагерь он был не готов. Ему некуда было возвращаться. Было ясно, что в палатках и машинах все спят. Искать место, кого-то будить, а главное — лечь рядом с кем-то или даже к кому-то вплотную... Этого он даже представить себе не мог.

Он очень хотел пить. И давно. Но идти в лагерь за водой... Этого он тоже не мог себе представить. Он не хотел туда возвращаться.

Не сомневаясь, он поправил досточку, положил её почти в воду, встал на неё коленями, медленно опустил руки в прохладу, опёрся о гладкое, мягкое дно и коснулся воды вытянутыми губами. Кончик носа тоже уткнулся в воду. Запах свежести и тины, прохлады и застоявшейся в камышах мути наполнил его дыхание. Виталий потянул в себя воду. Она была просто холодная и без какого-нибудь явного привкуса или сильного вкуса. Вода как вода. Свежая.

Он пил жадно. От усталости, от накопившейся боли, от того, что в желудке давно было пусто, и от неудобной, напряжённой позы голова закружилась...

Он пил, и ему виделись глубины этой заводи и тёмной реки. И той огромной реки, в которую эта речка неминуемо впадает. Ему грезились рыбы, стаи рыб и рыбёшек. И та огромная щука, которая на миг показалась ему из тьмы глубин и времени. Он чувствовал и ил на дне, с жуками, личинками и червями, в нём живущими. Он различал ручьи и родники, в реку втекающие. Он никогда не видел ни тех ручьёв, ни ила, ни рыб... Он просто чувствовал что-то очень-очень большое, к чему прикоснулся и что впустил в себя.

Он вдруг без страха подумал, что, скорее всего, в его жизни всё будет не так, как он себе запланировал. Он понял, что не понимает того, что с ним происходит. Но ему стало ясно, что там, в его городе, в его машине, у него на работе, ему не удастся спастись и забыть то, что с ним произошло. Он понял, что жизнь будет труднее, чем он думал и планировал... что всё куда сложнее, чем он мог вообразить.

Однако ему не было страшно. Если бы палец не болел, он, может быть, и испугался бы внезапного открытия... Но палец болел! Поэтому он напился вдоволь, встал, потянулся и вытер рот рукой.

Светало быстро. На реку и заводь стал опускаться туман. Комары активизировались, и ему пришлось намазаться мазью, что дал майор. Мазь была очень вонючая.

За спиной Виталий услышал шум двигателя. Прислушался. Это был не драндулет майора, не джип шефа, не автобус. Этот мотор тарахтел старым, нездоровым басом. Двигатель заглушили совсем недалеко, но из-за кустов и камыша он машину не видел. Хлопнули дверцы, и послышались шаги. Виталий повернулся в сторону шагов и ждал. Из-за камышей на пологий склон вышли два мужика. Один курил.

Оба были в штормовках цвета хаки, тёмных штанах и высоких сапогах. На головах у них были серые кепки. Вокруг мужиков вились комары.

— О-па! А наше место-то и занято! — увидев Виталия, сказал один.

— Долго спали, — сказал другой. — Кто рано встаёт, тому Бог подаёт.

— Извините, — сказал Виталий. — Я тут так, просто. Могу уйти.

Мужики тем временем подошли совсем близко. Подошли и остановились. Мужики были взрослые.

— Да не суетись, парень, — сказал первый. — Тут места не куплены. Кто первый пришёл, тот и занял. Это ваши палатки там? — И он махнул рукой в сторону лагеря.

— Да, наши, — ответил Виталий.

— Из города?

— Да, из города. Днём уедем.

— Понятно, — сказал второй. — Давно приехали?

— Вчера после полудня.

— Рыбаки? — спросил первый.

Виталий не успел ответить.

— Да какие рыбаки? — сказал второй. — Ты на него посмотри.

— И то верно, — сказал первый, улыбнулся дружелюбно, бросил окурок и тщательно вдавил его в примятую траву сапогом. — А мы из деревни. Тут рядом. Пять килом́етров. Много нарыбалил?

— Да нет, — пожал плечами Виталий. — У меня вот только удочка... Одну рыбу поймал за ночь.

Мужики посмотрели на его удочку одновременно.

— Одну за ночь? — спросил первый. — Упорный ты парень! В городе что, совсем есть нечего? — И оба усмехнулись.

— Мы тут скорее не на рыбалку, а на пикник...

— Ну ладно, продолжай, мешать не будем, — сказал второй, и мужики собрались уходить.

— Погодите, — остановил их Виталий. — Я уже правда закончил. Оставайтесь.

— Нет уж, — сказал первый, улыбаясь. — В нефартовом месте и мы ловить не будем. А что добыл-то? Покажи свою рыбу. — И он заглянул в ведро.

Второй глянул следом. Присел и запустил руку в ведро.

— Хороший линёк! — искренне восхитился он. Здесь взял?

— Да, прямо здесь, — ответил Виталий.

— А на что? — спросил первый.

— На... Да Бог знает на что! Вот. На это. — И Виталий протянул мужикам коробку с наживками, пальцем указав на белые шарики.

Второй взял один шарик и внимательно рассмотрел.

— Чего только люди в городе не выдумают, — сказал он.

— А я думал, что у нас тут линя уже и нет, — сказал первый. — Он и раньше-то был редкостью. А теперь... Я последний раз линя ловил лет пять назад. Хороший линёк! Люблю его! Хоть и костей в нём много мелких. Но вкусный. И мясо красное.

— Повезло тебе, парень, — сказал второй. — Ну давай, продолжай.

— Да я правда закончил, — сказал Виталий.

— Не переживай. Мы дальше поедем. Река длинная, — сказал первый.

И они двинулись по тропинке.

— Мужики! — окликнул их Виталий. — А у вас доктора, врача в деревне нет?

— У нас в деревне все врачи, — остановившись, сказал первый.

— Или фельшеры, — усмехнувшись, сказал второй. — А чего стряслось?

— Да вот палец зашиб сильно. Болит, не проходит. Рыбачу сижу тут, потому что уснуть не могу. Боюсь, перелом или хуже. Уж очень больно, — сказал быстро Виталий и вытянул вперёд руку с совершенно посиневшим своим пальцем.

Мужики вернулись.

— Зашиб знатно! Не пошутил, — сказал второй. — Кто ж тебе так помог?

— Ноготь слезет — это точно, — сказал первый.

На этих словах он бесцеремонно взялся обеими руками за пострадавший палец и моментально его согнул и разогнул. Неизвестно, что остановило Виталия от того, чтобы взвыть и убежать завывая. Но руку он отдёрнул.

— Что случилось?

— Дверцей машины ударил, — сквозь зубы и стараясь не стонать сказал Виталий.

— Давно?

— Днём.

— И никто не надоумил выпустить кровь? — спросил всё тот же первый мужик.

Виталий не ответил.

— Щас, погоди, помогу. Постойте здесь! — И первый ушёл, громко шелестя травой.

— Он поможет, — сказал оставшийся. — Он умеет. Учился. Он ветеринар. Вот такой! — И он показал свой поднятый вверх большой палец левой руки. — Он у нас всех лечит. Даже меня, — и засмеялся.

Ветеринар вскоре вернулся с автомобильной аптечкой.

— Послушайте, — сказал Виталий, — мы скоро уже поедем обратно... И в городе... Вы не беспокойтесь... Я пойду...

— Стоп! — резко сказал ветеринар. — Стоять! Я же понимаю, какие ты муки терпел. Сынок, сейчас сделаю, сразу полегчает. Палец — это тебе не ухо. Ухо можно отрезать человеку, а он и не заметит, но палец... Тут же все нервы. Щас гематому проколю, кровь выпущу, и ты соловьём запоёшь. Это же надо! Так долго терпел человек, почти сутки!

Он говорил таким голосом, которому хотелось подчиняться и верить. Виталий и поверил. И подчинился. Ему хотелось поверить. Он очень хотел облегчения. Ветеринар достал из аптечки какой-то флакончик, упаковку ваты и бинт. Потом отогнул воротник штормовки.

— Всегда с собой носи иглу, — сказал он, выдёргивая иголку из ворота. — У меня всегда есть.

Он совершил какие-то манипуляции. Приказал другому мужику крепко взять руку Виталия с больным пальцем, сжать её и держать. Тот так и сделал. Виталию стало больнее, стало страшно и как-то унизительно. Но он не дёрнулся и не возражал.

А ветеринар плеснул себе из флакона на руки, на одну и на другую, взял иглу, макнул её в тот же флакон, закрутил флакон, сунул в карман, достал зажигалку, зажёг, подержал иглу над огнём.

— Так вернее, — сказал он Виталию. — А теперь зажмурься, не смотри.

Виталий зажмурился и весь напрягся. Ему казалось, что палец жгут адским огнём. Второй мужик держал руку крепко, сильно и больно.

— Ну всё, отпускай, — сказал ветеринар.

Хватка ослабла. Виталий открыл глаза и увидел, что ветеринар выдернул иглу из-под ногтя его пострадавшего пальца. И из отверстия сильно потекла кровь. Тёмно-красная, густая. Ветеринар нажал на ноготь, и кровь потекла ещё сильнее.

Пульс из пальца пропал. Боль будто выключили. Плечи Виталия расслабились и повисли, он покачнулся.

— Видишь как просто, — сказал ветеринар. — Надо было кровь давно выпустить, и всё. А ты, бедолага, терпел. Ноготь, конечно, слезет. Но ногти — не зубы, новые вырастут.

Однако Виталий слушал невнимательно. Он весь отдался облегчению. Он будто выдохнул после долгой задержки дыхания. А ветеринар быстро и ловко забинтовал ему палец. Получилась куколка, а не повязка.

— Ну вот, парень, — сказал второй мужик, — фартовый ты. — И с рыбой, и с нами тебе повезло. Давай! Теперь нам должно повезти.

— Давай, сынок! Мы поедем, — сказал ветеринар. — Как зовут тебя?

— Виталий.

— Хорошее имя, — ответил тот. — Бывай, Виталик, больше палец никуда не суй. Потом настоящему врачу покажи... Давай, рыбак!..

И мужики пошли прочь.

— Спасибо большое! — успел крикнуть Виталий.

— Не на чем! — сказал кто-то из мужиков, Виталий даже не понял, кто.

Ему стало вдруг так хорошо-хорошо. Боль исчезла, улетучилась, пропала. Палец слегка саднил, точнее — просто чесался. А большая, тяжёлая и неусыпная боль ушла. Он сразу захотел и есть, и пить, и спать, и согреться.

Виталий стоял и слушал сначала шаги, потом хлопнувшие дверцы машины. Некоторое время он слушал тишину. Но вот двигатель зажужжал, не завёлся, опять зажужжал. Мотор завёлся только с третьего раза. Невидимый автомобиль долго тарахтел, удаляясь.

— Спасибо, мужики, — тихо сказал Виталий, — спасибо!

Он повернулся к заводи. Туман клубился над водой. Белый-белый. Он постоял. Тишину не нарушало ничто и никто.

Виталий шагнул к ведру, нагнулся над ним, посмотрел на своего линя и улыбнулся. Потом взял ведро, подошёл к воде и бережно вылил воду вместе с рыбой в её стихию.

Линь будто и не понял, что оказался на свободе. Он неподвижно стоял на мелководье и, как в ведре, шевелил плавниками. Виталий любовался им. Но тот вдруг резко ударил хвостом и исчез, оставив на том месте, на котором был, лёгкое завихрение мути, поднятой со дна.

Содержание

Литературно-художественное издание

Евгений Гришковец

БОЛЬ

Продюсер издания *Ирина Юткина*
Обложка *Серж Савостьянов*
Редактор *Ольга Ярикова*
Корректоры *Татьяна Филиппова, Наталья Соколова*
Верстка *Ольга Краюшкина*

ООО «Издательская Группа «Азбука-Аттикус» —
обладатель товарного знака Machaon
119334, Москва, 5-й Донской проезд, д. 15, стр. 4
Тел. (495) 933-76-00, факс (495) 933-76-19
E-mail: sales@atticus-group.ru; info@azbooka-m.ru

Филиал ООО «Издательская Группа «Азбука-Аттикус»
в г. Санкт-Петербурге
191123, Санкт-Петербург, набережная Робеспьера, д. 12, лит. А
Тел. (812) 327-04-55
E-mail: trade@azbooka.spb.ru; atticus@azbooka.spb.ru

ЧП «Издательство «Махаон-Украина»
04073, Киев, Московский проспект, д. 6, 2-й этаж
Тел./факс (044) 490-99-01
e-mail: sale@machaon.kiev.ua

ЧП «Издательство «Махаон»
61070, Харьков, ул. Ак. Проскуры, д. 1
Тел. (057) 315-15-64, 315-25-81
e-mail: machaon@machaon.kharkov.ua

www.azbooka.ru; www.atticus-group.ru

Знак информационной продукции
(Федеральный закон № 436-ФЗ от 29.12.2010 г.)   16+

Подписано в печать 11.03.2014. Формат 70×108 $^1/_{32}$.
Гарнитура «Petersburg». Бумага офсетная.
Печать офсетная. Усл. печ. л. 13,3.
Тираж 25 000 экз. D-GRI-15579-01-R. Заказ 8157/14.

Отпечатано в соответствии с предоставленными материалами
в ООО «ИПК Парето-Принт». 170546, Тверская область,
Промышленная зона Боровлево-1, комплекс № 3А
www.pareto-print.ru